99
KB087821
Eiichiro Oda

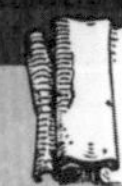

밀짚모자 일당

쵸파에몬 【 닌자 】
토니토니 쵸파

'새의 왕국'에서 '강한 약' 연구에 몰두하다. 재합류에 성공.

[선의 현상금 100베리]

루피타로 【 낭인 】
몽키・D・루피

해적왕을 꿈꾸는 청년. 2년의 수련을 거치고, 동료와 합류. 신세계로 향한다.

[선장 현상금 15억베리]

오로비 【 게이샤 】
니코 로빈

혁명군 리더이자 루피의 아버지 드래곤이 있는 바르티고를 거쳐, 합류.

[고고학자 현상금 1억 3000만베리]

조로주로 【 낭인 】
롤로노아 조로

어두우르가나 섬에서 자존심을 버리고 미호크에게 검의 가르침을 간청. 이후 합류에 성공.

[전투원 현상금 3억 2000만베리]

프라노스케 【 목수 】
프랑키

'미래국 벌지모어'에서 자신의 몸을 더욱 개조. '아머드 프랑키'가 되어 합류.

[조선공 현상금 9400만베리]

오나미 【 여닌자 】
나미

기후를 분석하는 나라, 작은 하늘섬 '웨더리아'에서 신세계의 기후를 배워 합류.

[항해사 현상금 6600만베리]

본키치 【 유령 】
브룩

수장족에게 잡혀 구경거리가 되었으나, 대스타 '소울킹' 브룩으로 출세해 합류.

[음악가 현상금 8300만베리]

우소하치 【두꺼비 기름 장수】
우솝

보인 열도에서, '저격의 제왕'이 되기 위해 헤라크레슨의 가르침을 받고 합류.

[저격수 현상금 2억베리]

바다의 협객 징베
【 전(前) 왕의 부하 칠무해 】

인의를 관철하는 사나이. 빅 맘과의 격전 당시 루피를 도주시키기 위해 최후미를 맡았고, 습격 전에 합류.

[조타수 현상금 4억 3800만 베리]

상고로 【 소바장수 】
상디

'뉴하프만 왕국'에서 뉴커머 권법의 고수들과 대전, 한층 더 성장하여 합류.

[요리사 현상금 3억 3000만 베리]

Shanks
샹크스

'사황' 중 한 사람. '위대한 항로' 후반 '신세계'에서 루피를 기다린다.

[빨간 머리 해적단 선장]

와노쿠니 (코즈키 가문)

코즈키 모모노스케

[와노쿠니 쿠리 다이묘 (후계자)]

아카자야 아홉 남자

여우불 킨에몬

[와노쿠니의 사무라이]

덴지로

[전(前) 환전상 쿄시로]

안개의 라이조

[와노쿠니의 닌자]

키쿠노죠

[와노쿠니의 사무라이]

아슈라 동자 (슈텐마루)

[아타마야마 도적단 두령]

카와마츠

[와노쿠니의 사무라이]

이누아라시 공작

[모코모 공국 낮의 왕]

네코마무시 나리

[모코모 공국 밤의 왕]

소낙비 칸주로

[와노쿠니의 사무라이]

코즈키 히요리(코무라사키)

[모모노스케의 여동생]

시노부

[베테랑 여닌자]

꽃의 효고로

[야쿠자 대두목]

트라팔가 로

[하트 해적단 선장]

캐럿(토끼 밍크)

[전수민족 왕의 새]

이조

[전(前) 흰 수염 해적단 16번대 대장]

불사조 마르코

[전(前) 흰 수염 해적단 1번대 대장]

코즈키 오뎅

[와노쿠니 쇼군 후계]

키드 해적단

유스타스 키드

[키드 해적단 선장]

킬러[살인귀 카마조]

[키드 해적단 전투원]

백수 해적단

'대간판'

화재(火災)의 킹

역재(疫災)의 퀸

가뭄해 잭

백수의 카이도

【 사황 】

수차례 고문과 사형을 당하고도 아무도 그를 죽일 수 없어, '최강의 생물'로 불리는 해적.

[백수 해적단 선장]

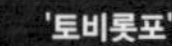

'토비롯포'

페이지원

울티

사사키

블랙마리아

후즈 후

'신우치'

바질 호킨스

홀덤

바바누키

다이후고

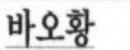
바오황

솔리티아

스피드

도봉

브리스콜라

햄릿

포트릭스

일행은 강력한 동료를 더해 오니가시마로 돌입!! 섬 안에서 사황의 부하들이 앞길을 가로막는 와중, 카이도의 딸 · 야마토가 의 앞에 나타나 루피와 같이 싸우기로 맹세한다. 그리고 옥상을 무대로 카이도와의 싸움을 개시한 아카자야 일행은 오뎅의 과 함께 카이도를 베고자 달려든다. 하지만 서서히 카이도에게 밀리기 시작하고…. 루피 일행도 옥상을 향하지만 카이도의 들이 막아서는데….

빅 맘 해적단

빅 맘 샬롯 링링 【 사황 】

'사황' 중 한 사람. 통칭 빅 맘.
수명을 뽑아내는 '소울소울 열매' 능력자.

[빅 맘 해적단 선장]

C • 페로스페로
[샬롯 가 장남]

'정보꾼'

스크래치멘 아푸
[온에어 해적단 선장]

와노쿠니 (쿠로즈미 가문)

쿠로즈미 오로치

카이도와 손을 잡고 와노쿠니를 지배. 코즈키 가문에 원한이 있으며 교활하게 군다.

[와노쿠니 쇼군]

쿠로즈미 칸주로
[오로치 측 스파이]

후쿠로쿠쥬
[전(前) '오니와반슈' 대장]

호테이
[전(前) '순찰조' 총장]

오로치 오니와반슈
[와노쿠니 쇼군 직속 닌자 부대]

백수 해적단을 이탈하고 루피와 공투(共鬪)로!

X 드레이크
[전(前) 토비롯포]

야마토[자칭 : 코즈키 오뎅]
[카이도의 딸]

NUMBERS

쟈키

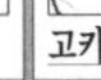

고키

난기

핫챠

쥬키

Story · 줄거리 ·

2년의 수행을 거치고, 샤본디 제도에서 재집결에 성공한 밀짚모자 일당. 그들은 어인섬을 거쳐 마침내 최후의 바다, '신세계'에 이른다!! 루피 일행은 모모노스케 측과 동맹을 맺고, '사황 카이도 격파'를 위해 와노쿠니에 상륙. 동지를 모아 습격 당일을 맞이했다. 하지만 습격 직전에 칸주로의 배신이 발각되고 모모노스케가 납치당한다. 그들을 쫓아 기습하기로

ONE PIECE

vol. 99

'밀짚모자 루피'

CONTENTS

제 995 화

'여닌자의 맹세'

표지 리퀘스트 '공부하려 했지만 금방 싫증 내는 루피' 세타가야 구 PN 걷는 엄마

쿠구우
우
방해하지 마라~~ ~~~!!
!!!
두화
악!!
마르코오 ~~~~!!!
.........!! 난 아직 내 역할은 모르지만
저 녀석들보다 잘 알지!!
네 위험도는…!!

!!
프로메
테우스?!
왜 내가
불꽃에에
~~~~?!!
화르륵
끼야아아아악.
!!
피닉스의
불꽃은
특수하거든.
이 자식,
감히!!
퍽
윽!!
해치워버려라!!
페로스페로!!
OK.
끼릭
끼릭...!!
빠 밤
!!
마마!!
!!
....
......!!
~~~~

미안하군, 마르코!!
마마의 손을 빌리는 것 같아서.
큰일 났군….
쿠구구구구…
하쥐익!!!
'문 레이드'!!!
와

한참 옛날에
죽이고 싶은
상황이
있었는데
참
얄궂기도

네……
네놈!!!
허어?!!
그때의….
'스론'.
끄아악~
~~~~
~~~!!!
…….

?!!

두두웅
이 녀석이 ……
페드로를!!
파직파직……!!
맞아!! 이 녀석만 없었다면 ………!!
!
너희는?
넌 마르코, 네코마무시 나리의 친구지?
얼추 맞아!
알고 있어. 페드로의 죽음이 이 싸움으로 이어진 것임을.
앞을 향해 나아가라!!
페드로 그 멍청이는 자폭한 거라고!!
화를 입은 건 나야!!

아~~~~~.
성가셔 죽겠네!!
이런 전장의
귀퉁이에!!!
쩨쩨한 문제
갖다 대지 마라!!
맘대로 해!!
마르코!!
날 죽이고
싶거든
다음에 해라!!!
지금은 네게 쓸
'소울'은 없어!!
!!
가!
마르코!!
이 녀석은
우리가!!
………
……!!
끄아아아아악
~~~~~!!!
살려 줘──!!
오니로
변해─!!
끄오오오오
~~~~!!!
와
끄악
뭐야,
저건.
!!

돔 내부
'라이브
플로어'—.
웅!!
아푸 씨를
잡아!!
와아아아아아
음하하,
히얏하!!
저 녀석을
놓치지 마!!!
두
'칠백이십'
'번뇌봉'!!!
파팟!!
!
와아
아아아
위험해라!!!
헉…
헉!!

우린 같은
편이잖아,
아푸 씨!!
'항체'를
줘어——!!
넘기면
내가 죽게
생겼다고!!
플로어
곳곳에서
살의!!
퀸 자식!!
'항체'를
줘어!!
죽고 싶지
않아!!!
쩌정
쩌정
추워……!!
부들부들
기다려.
반드시
항체를
뺏을게!!
거기 서라,
아푸~~
~~~!!!
………
……!!
스크래치
~~~~
'펑(爆)'♬
두우
웅~
끄악—
—!!!

!!
내놔.
퍼펑!!
왁
콰콰콰
콰콰
!!!
콰
잠깐잠깐
잠깐잠깐!!
너희 둘이
덤비는 건
안 되지!!!
키이잉!!
난
킨에몬 측에
가세하러
갈 테다!!
너와의
싸움 따위
그저
'헛수고'야!!

나는 예전부터 네가 싫다.
꾸욱
!!
콰과 과앙
나도거든 이 호랑말코야!!
드레이크 자식,
들키자마자 손바닥 뒤집 듯 돌변하긴!!
!!!!
—저게 롤로노아 조로인가…….
2순위와 3순위는 일찌감치 해치우는 게 낫지…….
와!
끄악!
—그나저나 일당에…… 저지의 아들이 있을 줄은….
빈스모크 저지….
WANTED
WANTED
VINSMOKE SANJI

아아아앗. 오니가 되는 줄 알았는데…!!
이것 좀 보세요!! 저 괜찮아요!!
다행이다, 너!! 피부도 혈관도 체온도 없으니까
시체랑 다를 바 없어!!
'퍼엉(爆)' ♬
끄아악──!!
펑♫
18
왠지 쇼크!! 하지만 무적!!
몸이 차가워지니 바이러스가 증식해…….
그치만 몸속에서 그런 게 가능한가?
요호호
파슥 파슥..
혹시 이 바이러스
쵸파?! 너, 그 팔!!
엑?
에엑~~~ ~~~?!!
아뿔싸!! 모르는 사이에!!!
으악──!! 쵸파 씨가 죽겠어요~~ ~~~~~!!!

필살
'초록성'…
퍼버어‥ㅇ
와아아아
파과아앙!!!
엇.
'데빌'!!!
덥
석
까악—
—!!
도와줘,
페찡아~
~~~!!
해냈다.
잡았어!!
콰
슉!!
혼자서도
도망칠 수
있으면서.
그대로
녹여버려!!
!!!
~~~

으악――
'데빌'~~
~~~~!!
덥
썩
제길―!!
이건
어떠냐.
두콰 콰콰 콰
'죽창림'!!!
!!
쌔액!!
퍼
엉!!
빠각 빠각!!
아아,
시시한
기술.
엑~~
~~!!
'울'
……
'두건
(頭銃)'!!!
!!!
콰
앙!!!
~~~~

………
……!!
쿠콰아앙!!
으쩍으쩍…
쿠 궁…!!
!!
움찔!!
하아
하아
후욱
우솝………!!
후욱…
까악―.
그만.
죽이지 마!!
야,
여자!!!
와아아
아아아아
고아…
졌어요.
이제 완전히
졌어요!!
으 그 엥

보면 알아.
그럼 말해!!
나 열 받았거든?!!
너희 선장이!!
카이도 님을
이겨서
'해적왕'이
되겠다'고
말한 거!!!
으으
......

미안해요!!
그 녀석
바보예요!!
그러니까
박치기는
그만 해요
.........!!

부탁이에요.
섬에서 나갈
테니까......
한 번 더
당하면
진짜
죽어요···.
그럼
말해!!

너희 선장은
'해적왕이
될 수 없다'고!!
....
.....!!

하아···
하아···.
네!!
루피는......

'해적왕'이......

그래,
나미···.
거짓말
해도
돼···.
허튼소리 했다간
진짜 목숨줄
날아가!!
여기까지
와서!!

웅!!
두
될 거예요….
반드시 ………….
뭐어?!!
빠져!!
………
……!!
잘 알겠어….
그럼 죽어!!!
나미,
이 멍청아!!
도망쳐!!!
그치만 될 거라구 ……!!
으와아앙
가라, 코마치요 ~~~~!!!
오나미~ ~~~~ ~~~!!!
쑥
덥
왕!!
?!!
꺅!!
엇?!
저 녀석…?!!
오타마?!
왜
여기에?!!
개~~?!!

(카나가와 현 · 하마네 씨)

D(독자) : 선생님, 원피스 1000회 축하드려요.
1000화가 수록될 99권.
이 말을 전합니다.
SBS를 시작합니다! P.N. 고에몬

O(오다) : 아ㅡ 감사합니다. 1000회라고 하니까, 이거 진짜루 기념해 마땅한 화가 담긴 코믹… 시작혀부렀네?!!

D : 오다 쌤, 이 기호 '※π'. 뭐라고 읽는지 알아요?
파이라고 읽는데요! 그럼 이쪽을 읽어보실까요.
오나미의 ππ 최고예요. P.N. 사나닷치

※은어로 여성의 가슴을 뜻하는 말과 발음이 같다.

O : 이 자식ㅡ!! 사나다ㅡ!!!
너 말야, 이번에는 자그마치 1000화가 수록된 경사스런 권이라고!! 근데 그 '상스러운 로켓 스타트'는 또 뭐냐고!! '로켓 ππ' 좋아하네!! 시끄러웟!!!
아ㅡ PTA에게도 사랑받고파.

D : 98권에서 선뜻 카이도의 악마의 열매 이름을 공개해 주셨는데, 이쯤에서 선뜻 키드의 악마의 열매 이름도 가르쳐주세요! P.N. 타쿠미소

O : '자기자기 열매'입니다. 어랍쇼ㅡ?
말한 적 없었나? 자기의 힘으로 쇳덩이를 자유자재로 다룹니다.
본편 어딘가에서 언급해야겠네요ㅡ.
다음번에 그릴게요.

D : 평생에 딱 한 번 부탁이 있어요. 스테리를 허(虛)의 옥좌에 앉게 해주세요. P.N. 세이토

O : 싫습니다.

제 996 화
'최강이 있는 섬'

표지 리퀘스트 '하마와 함께 양치질하는 검은 수염' P.N 에피

돔 내부
전두(前頭)
플로어
'백수탕'
어디로
들어온
거지?!
와노쿠니
본토의
'코마이누'다!!
와아아아 아아아아!!
왕왕!!
고마워.
오타마,
코마치요!!
꽉 잡아요!!
타다다다!
우솝!!
괜찮아?!
페찡아,
저 개
씹어버려!!
네가
해!!!
어엉?!
두웅
!!
내바
눙구힌 주
아흐나 하!
괜찮을 리가
없지!!
일단 내가
무사해서
다행이야!!

찰싹
얀마!!
오타마, 어떻게 여기에?
적의 배를 얻어 타고!!
뭐?!
적의 배?!
끼이!!
!!
채앵
끼이잉!!!
젠장!! 이 비비는 또 뭐야!!
'비비마루'!! 3분간 막아주면 좋겠시야요!!
끼이!!
어디서 튀어나온 것이와요?!
저 녀석들, 흉포해!! 저 큰 원숭이 멀쩡하지 못할 거야!!
얕보면 곤란해요!! 오나미!!
우리는 '사무라이'로서!! 여기에
온 것이야요!!!
띠링!!

'우뇌탑'
중앙 통로
와아아아앙아
쿠우…웅
이게……!!
양!!
길을
열어!!
콰콰콰
윽!!!
끝이
없는뎁쇼?
야마토
도련님!!
퍼벼벼어엉!!
!!!

콜록, 커흑!!
비틀…
야마토……!!
아무리 그래도 그만큼 맞았다간.
……
……
당신!! '사무라이'라면!! 결단을 내려!!
나를 버리고 모모노스케 님을!!
싫어!!!
?!
펑!!
'코즈키 오뎅'이라면
그런 짓은 안 해!!!
!!!
벽창호……!!
걸림돌을 감싸면서 이길 상대로 여겨지는 건……
철컥…
못 참겠는걸, 야마토 도련님.

철벽의
장갑부대를
이대로
잃을 순 없는
노릇이지.
아주
화끈하게
저질러놨어!!
두
웅!!
스윽…
사사키….
하아…
하아….
크르르…
?!
하샤
샤샤!!
하샤
샤샤샤
!!!
?!
엇!!
위험해,
위험해!!!
프라노스케?!
쿵쿠쿠쿵

빠밤!!
아!!
모모냐?!
저건!! 나 알아!! 루피의 동료.
사이보그 프랑키, 9400만 베리!!
저런 사람이 진짜 있구나 ………!!

하챠~~
멈춰, 이 자식아!! 안 잡힌다고 그러기냐!!
핫챠?!
멍청아, 뭐 하는 거야!!

하챠~!!!
꾸과앙!!
끄아악~ ~~~~!!

마룻바닥이 뚫렸어──!!!
와아아아 아아 아아 아아
으와아 아아악.
!!!

와앗!!
와아아아아
누구지?!
그렇구나!! '아래'가 있었지!!
모모노스케 군!! 시노부 씨!!
이대로 아래로 도망치자!!
모모~~~~!! 시노부!! 괜찮았냐?! 붙잡힌 거야?!
아니, 달라!! 도움을 받았어!!
사이보그 프랑키!! 여길 맡아줘!!
나는 루피에게 두 사람을 부탁받았어!!

※우는살 : 화살의 일종으로 끝에 속이 빈 깍지를 달아 붙인 것으로, 쏘면 공기에 부딪혀 소리가 난다.

엇….
방금 전 녀석이?! 정체가 뭐지?!
……?!!
아뿔싸!!
쿠과우…웅!!
핫챠?!!
꺄아
와
야!! 야마토가 모모노스케를 데리고 아래로 도망쳤어!!
꾸물대지 마!!
구멍으로 내려가 쫓아!!!
와
꺄아
후두두둑
모모노스케 군…!!
!!
하아, 하아….
넌 살아야 해!!
꼭 살아야만 해!!!
!
세계를 '새벽'으로 인도하는 건
바로 너야!!!
?!!
쿠웅!

성안
지하 2층
5
4
3
2
1
B1
B2
'D의 일족'을
이렇게 부르는 사람도 있어.
'신의 천적'.
와아아아아앙

내 진짜 이름은
……
……
쿠구우…웅
와아 아아아아
'트라팔가 D. 워텔 로'.
숨겨진 이름이야?
그래……!!
저벅 저벅…

당신도 'D'의 이름을!
놀라운걸 ………
너라서 얘기한 거다.
고마워. ─하지만 나도 몰라.
루피는 신경 쓰지 않지만 나 역시 'D'에 흥미진진해.
붉은 돌을 따라가는 수밖에 없나?

그렇지. ─즉 '사황'을 쓰러트릴 수밖에 없어……!!
그리 쉽사리 줄 거 같진 않은데.
와아아아아
꺄악
이게 아니야…….
붉은 돌이다….
………
……!!
쿠구우… 웅

와…
꺄악!!
─있잖아, 코라 씨.
난 역시… ……!!
이 기구한 운명의
의미를 알고 싶어.
쿠구우… 웅

성안 3층——.
4
3
2
와아아아아아!!
콰과과곽
끄악——.
뭔가가 밀려든다!!
으와악!!
덜그르르
무기를 뺏겼어!!
휩쓸린다 ~~~!!
빠각
유스타스 '캡틴' 키드야!!
끄아아악!!
성의 쇠붙이를 죄다 몰고 다니고 있어!!!
막아. 옥상에 못 가게 해!!
빠각 빠각
충분할 거 같나?! 킬러!!
홧홧!!

츄왕!!
그렇겠지.
'킬러'다아!!
츄와앙

적은 세계 최강의 해적.
많으면 많을수록 좋아!!

하하!!
그렇지!!

오니가시마 ——.
와아아아앙
아
'해골 돔' 옥상——.

!!!
까앙!!!!
털썩!!
까앙!!
!
까앙!!
쿠슉!!
퍼억!!
까아!!
저벅
저벅
가라랑…

해골 돔
'라이브
플로어'.
뜨와아악—!!
콰
빅 맘이
돌아왔다!!!
와—!
끄아—!
안심해라!!
내 용무는
오직
카이도가
있는
'위쪽'이야!!!

성안
중2층——
서둘러!! 서둘러!!
와아아아아아
지금 몇 층이지?!!
저쪽 계단을 오르면 3층!!
옥상은 5층 그 바로 위라네!!
쪼—아!! 기다려, 킨에몬!!
응?! 야, 너희들 저 소리 들려?!
?!
3층에서 들리잖아?!
………뭐가?
까악———…
쿵짝♪ 쿵짝♬
좋지 아니한가!! 느후후♡
아니 됩니다!
아니되옵………
어~~~~머~~~~~♡
!!!

(사이타마 현 · 카자마 에리 씨)

D : 오다 쌤! 배꼽! 나미 양이 가진 크리마 택트의 의인화 모습을 그려주세요—!
나미 양 팬 대표로부터. P.N. 츠봇치

O : 네. 제 특기죠!

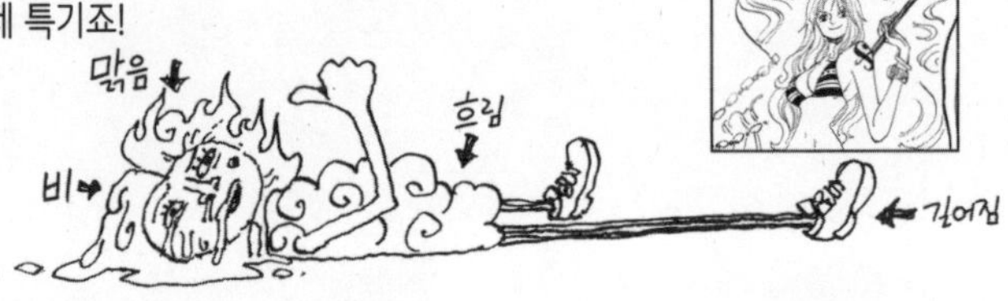

D : 코마치요와 오타마에게 구조 받은 우솝이
'내바 눙구힌 주 아흐나 하'!라고 말했습니다만
(996화), 혹시 '내가 누구인 줄 알기나 해!'
라고 말한 거 맞나요? 일단 나미가 무사해서
다행이에요!! P.N. 야나

O : 대단해요!! 용케 해독하셨네요. 정답 ~~~!! (웃음)

D : 카이도는 생선을 먹을 때, 껍질까지 먹나요? P.N. 에피

O : 오히려 껍질이 맛있다고 말한답니다. 식탁에서는 이런 식이에요.
'이봐… 이 생선은 껍질 먹어도 되는 건가?'
'네! 비늘은 벗겨뒀습니다!' '워로로로' 이렇게.

D : 오다 쌤, 좋은 밤이에요. 밀짚모자 일당의 머리카락이 자랐을 때,
누가 잘라주나요? P.N. 펌프킨

O : 이발이 특기인 사람이 세 명 있어서,
기분에 따라 부탁하는 느낌입니다. 세 사람 ➡

D : 오토코의 어머니, 즉 야스이에 공의 사모님은 어떤 사람입니까?
아직 생존 중인지? P.N. 고에몬

O : 야스이에는 옛날에, 결혼은 했으나 아이는 없었고
아내가 먼저 세상을 떠난 이후 독신입니다. 카이도에게
패배 해 살아남은 후, '에비스 마을'에서 어떤 아기를
거두게 됩니다. 그게 바로 '오토코'입니다. 오토코는 피가 이어지지 않은 걸 모릅니다.

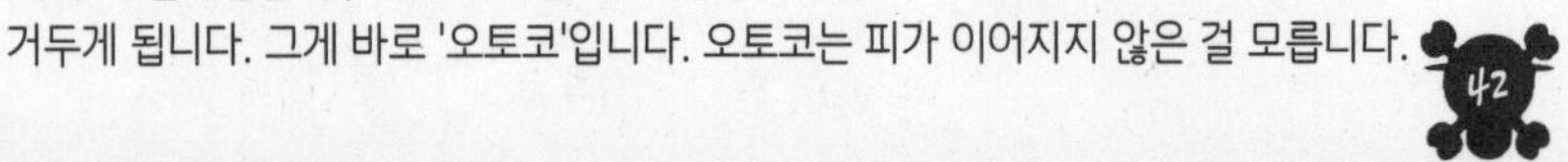

제 997 화
'불꽃 구름'

표지 리퀘스트 '참선 중 잡념투성이인 상디의 어깨를 계속 때리는 너구리 주지 스님'
돗토리 현 · 나카하라 로

성안
3층――
하아…
하아….
어머머~~
~~~~♡
들린다!!
미녀가 도움을
청하고 있어!!
좋지
아니한가♡
아니
됩니다!
좋지
아니한가♡
그러지
마시어요!
어머머~~
~~~~~
~~~~♡
!!
빠방
사무라이의
성희롱!!
'좋지 아니한가.
어머머'!!

권력자의
요구에 여자는
어쩔 바를 몰라
띠를 풀어
어머머――
계속
회전하는
여자가 한번
돌 때마다
잃는 것은
'천 조각'이
아니야!!
'너
자신,
이
다!!
기다려.
지금 구하러
갈게!!!
~~~~

빠각!!
좋지…
않거든?!!!
그만둬어~
~~~~!!!
!!
피이이—잉!!!
윽!!
엇?!
어머머~~~~~~~♡
뭐야,
거미집?!
끈적…!!
띠링♪ 띠리리잉!♪
이봐,
멈춰!!
어머머~
~~~~
~~~♡
휘리리
쌔액…
빙그르르르
리리릭
~~~

'어머머 트랩'!!!
푸학!!

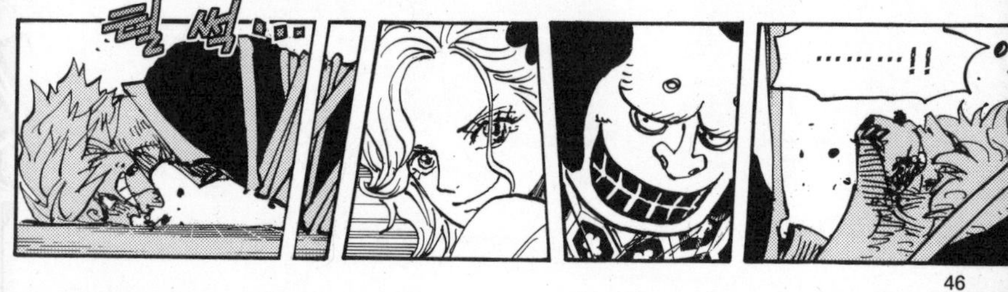
털썩…
………!!

또 어디서 정의의 호색꾼 한 명 대령이요…!!
밀짚모자 일당 '검은 다리 상디'!!
현상금 3억 3천만!! 대단한 거물인걸♡
밧줄을 풀어. 지금이라면 봐주지!! 난 갈 길이 급해!!
젠장…… 함정인가…!!
어쩜, 무서워라. 협박하네♡

싫어….
이런 연회장까지
전장으로 만들게?
?!
——나
입이 험한
꼬마를 보면
꽂히거든♡
저기,
그쪽은
어때?
나……
맘에 들어?
떠리
잉!!
꼬마?!
만만하게
보였나
보군.
얼른
밧줄을 풀어!!
너 같은 건
싸랑한다!!!
까악♡
찌잉♡
같은 층
3층——
상디는
어디
갔지?!
두
웅!!
모르겠군.
무시무시한
형상으로
뛰쳐나갔다만…….

포커 님, 그쪽으로 '밀짚모자' 일행이 가고 있습니다!!
키드는 통과시키고 말았지만
이거 봐. '밀짚모자'는 15억!!
이 자식을 해치우면 명예회복이 문제가 아냐!!
고리시로, 바나나 흘리지 마!!
'토비롯포'로 승격이겠지. 나쁘지 않아.
와작 와작
두웅!!
백수 해적단 '신우치' 미제르카 고릴라 SMILE
MIZERKA
백수 해적단 '신우치' 포커 방울뱀 SMILE
POKER
밀짚모자 형씨!! 이쪽이에요!
어라! 너희는 '우동'에 있던 녀석들!
직접 만든 사다리?!
예이, 계단은 적투성이.
이걸로 4층까지 올라갈 수 있어요!!
도움이 됐어. 고맙다!!
와아 아아아
빠—밤!!
안 오잖아!!
떠디—잉!!
조—용

쿠오오오
돔 내부 라이브 플로어
빅 맘이
옥상으로 갔어!!
하아.
하아.
쏘옥..
다행이다. 여기서 저 할망구가 또
난동 부릴 줄…!!
?
후욱
와아아
아푸를 쫓아—
——!!
'항체'를 뺏어—!!
………
……….
와아아아
쾅!!
챙잉!
덜그럭!!

오오마사
두목!!
아아
으어어어
~~~~.
와아
와
꺄악
쵸파 씨,
어디를?!
기다리세요!
으드득!!
끄아아악!!
므하하하하!!
도망쳐라,
아푸!!
와
그어어어.
슈칵!!
와
채재이
잉!!!
으왓!!
드레이크,
이 자식!!
와
꺄아
철컥…
~~~~

와아아아아 아아…

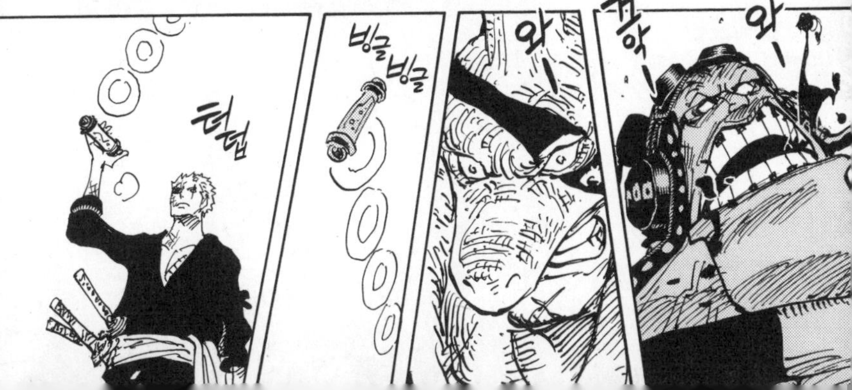
와—
꺄악—
와—
빙글빙글
턱

어?!
와
털썩…
크악
아푸~~~~~~~~~?!!
이 플로어, 맡겨도 되나?
죽지는 않겠지.
물론!!
아아아아아…
이미 이 바이러스 구조는 알아냈어!!
역시나.
다들 들어 봐——!!
?!
빠밧!!
'빙귀'에는 불을 써!!
이 바이러스는 몸을 식히는 '가스'와 융합되어 이루어져 있어!!
나를 봐!! 몸의 냉각을 막으면 바이러스는 증식하지 않아!!
'항체'는 내가 모두의 몫을 만든다!!

난 의사야!! 적도 아군도 다 구해!!!
………
……!!
뭐?
그러니까 살아남아!!
저런 몰인정한 남자한테 죽지 마!!
잘 떠드는군, 너구리……!!
그리고 꼴사나운 아푸 녀석!!
철컥!!
네놈들 둘 다!!
꺄악—— ——!!!
엇—— ——?!!
뭐가 '게임'이냐!!
나는 이딴 시시한 놀이나 하려고
이 섬에 온 게 아니야!!!

세계에서
제일
강하다는
카이도를!!
베어버리러
온 거다!!!
크가우…웅
으와아
아악.
끄악—
—!!
!!!
으왓—
—!!
뭐지?!!
녀석의
'분노'로 지진이
일어났어!!!
똑바로
못 서겠어!!!
패기인가?!!
패왕색인가?!!
조로 씨,
뭘 하신 거죠?!!
무서운 사람.
크구…
꺄아아아
크아아아
나일 리
없잖아.
이해해,
조로…….
나도 봤어.
천장의
구멍에서
떨어지는 거.
……
…….
오키쿠의
팔이!!!
두웅!!

늦었어….
단숨에
날아갈 수
있으면
좋으련만……!!
쿠구구…
어느
루트도
그렇게는
안 되겠지.
'밀짚모자
일당'!!
불사조
마르코!!
!
쿠구 쿠구
와
아아,
그래!!
주력인
너희가
왜 이런
플로어에서
죽치고
있어?!!
뭐
도와줄 일
있나?
두웅!!
?!
이
흔들림은
뭘까.
쿠구구
무서워요.
아니,
안 무서워요!!
!!왕
지진일까?
징베!!
이곳 지형이
특이하기는
하네만….
우두둑

으와아
아아악.
쿠구구구구
와-
섬이
흔들린다!!
살려줘—.
이런 건
처음이야!!
뽀골
골.
틀렸다.
상륙할 수
없어!!
뽀골골.
'오니가시마'에서
일단 떨어져!!

야단났군…….
쿠구
이래서는
참전 못 해!!
쿠궁
성급하셔라….
쿠구구구
섬이
가라앉는
건가?!
쿠구

돔 바깥
항구 방면
으와악!!
쿠구구구…
모모노스케 군, 네 목숨이 최우선!!
배를 타고 섬을 나서자!!
콰장창!!
척!
앗.
백수 해적단의 배가 없어!!
어?
후욱…
바다도 없어!!
뭣?! 그게 무슨 뜻이오 ………?!
—때를 놓쳤어……! 이제 바다로는 못 달아나!!
쿠구구
무슨 일이 벌어지는 것인가?! 야마토!
이 흔들림은 그거였나!
용은…… '불꽃 구름'을 만들어 하늘을 날아!! 요컨대 지금

카이도가
'오니가시마'를
띄운 거야!!!
헉?!!
쿠릉 쿠릉
번쩍!!
크크크...
웅!!

이대로
'꽃의 도읍'으로
섬을 옮길
작정이다!!!
뭐엇~~~~~~~~~~~~?!!

후련하겠지…?
'코즈키'는
끝났다.

'와노쿠니'를
토대로
'신(新)
오니가시마'는
해적들의
'요새'가
된다……!!!

시작하자.
'폭력의
세계'를!!!

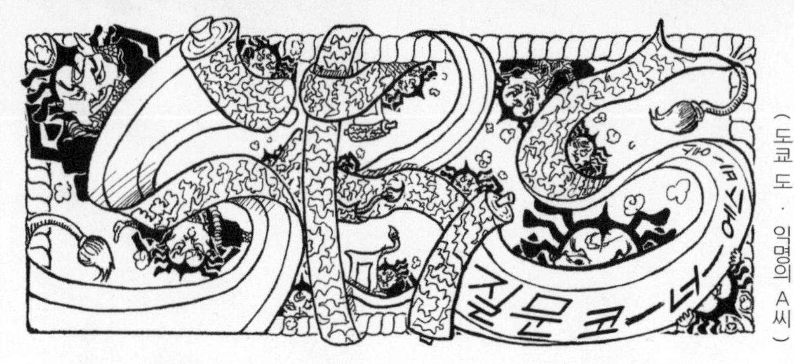

(도쿄도 · 익명의 A씨)

D : 밀짚모자 일당의 계란 프라이 취향을 알고 싶어요! 반숙파거나 소금파 같은 거.

P.N. 오다 매니아

O : 과연. 재밌는데요—?! 조사해봅시다!

- 한쪽 면 거의 날것
- 마요네즈

- 양면 바싹
- 간장

- 한쪽 면 반숙
- 오렌지 소스

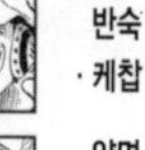

- 양면 반숙
- 케찹

- 양면 반숙
- 매운맛 소스

- 양면 바싹
- 시럽

- 한쪽 면 스팀드 에그
- 검은 후추

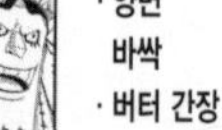

- 양면 바싹
- 버터 간장

- 한쪽 면 반숙
- 케찹

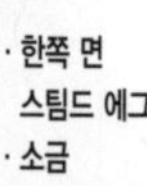

- 한쪽 면 스팀드 에그
- 소금

D : 징베 씨!! 밀짚모자 일당 정식 가입을 축하드려요! 기다렸어요!!
그런고로 지금까지 SBS에서 소개되었던 다른 9명처럼
상세한 캐릭터 정보를 가르쳐주십시오!!

P.N. 야시라이

O : 네. 항목까지 같이 써뒀어요. 지금까지 루피 일행의 판명된 데이터처럼 말이죠. 좋아하는 음식은 '큰실말 초무침, 과일'로 'ONE PIECE 도감 비브르 카드'에서 발표되었습니다.
자, 보세요.

1. 싫어하는 음식 : 파르페 (먹기 힘들어서)
2. 이미지 컬러 & 넘버 : 황토색, 10
3. 일당을 가족으로 비유한다면 : 아빠 (지금까지 아빠였던 프랑키는 변태 할망구)
4. 냄새 : 바다 내음
5. 이미지 현 : 카고시마
6. 이미지 국가 : 인도
7. 이미지 동물 : 곰
8. 특기 요리 : 가다랑어구이 (카츠오노타타키)
9. 기상 · 취침 시간 : AM 9 기상, AM 3시 취침
10. 머리 속 :

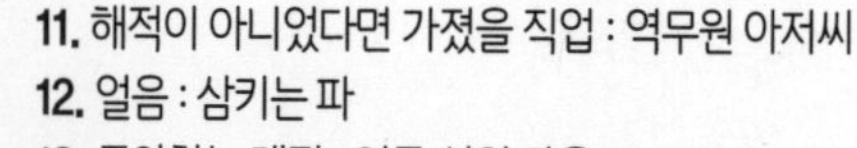

11. 해적이 아니었다면 가졌을 직업 : 역무원 아저씨
12. 얼음 : 삼키는 파
13. 좋아하는 계절 : 여름 섬의 가을
14. 이미지 꽃 : 모란

제 998 화
'고대종'

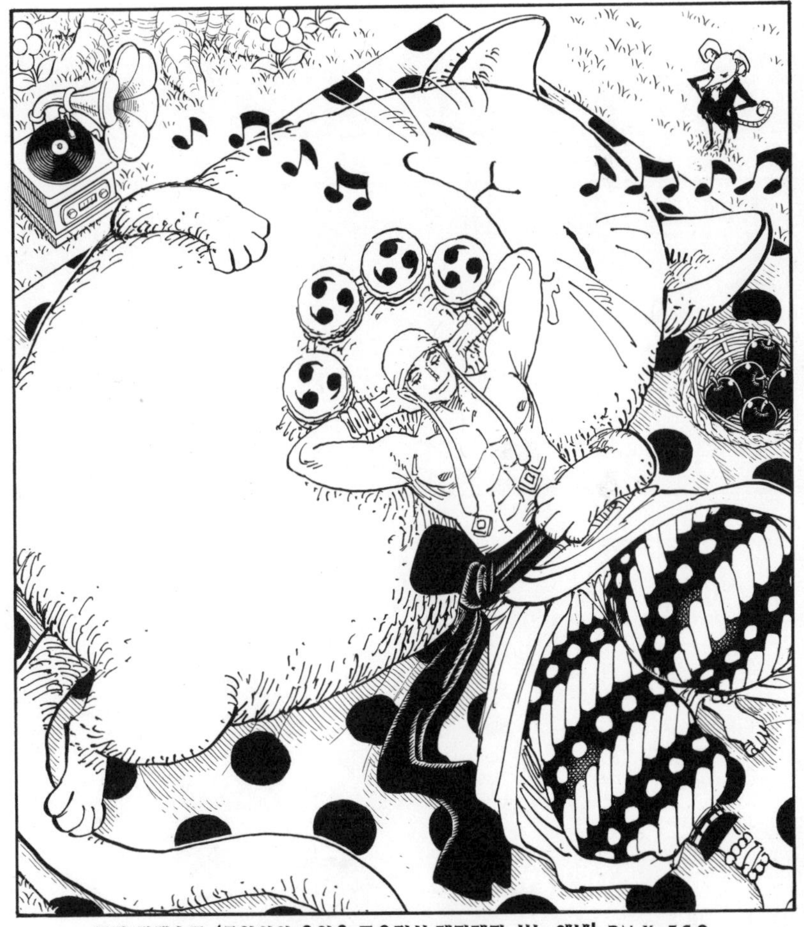

표지 리퀘스트 '고양이와 음악을 들으면서 탱자탱자 쉬는 에넬' PN X·5GO

엇……?!!
'오니가시마'가
쿠구 구구
날고
있잖아~?!!
두웅!!

……
안 떨어지나
?!
카이도 씨,
이런 일까지
할 수
있다니!!
게다가
왜……!!
와아아아아
여기에
'불사조
마르코'가
있는 건데?!!
누구
편이지?!

끄아아악
~~~~
~~~!!!
쵸파──?!!
이봐!!!

뜨겁나?
사뿐
!!
부우웅!!
응?!
어라?
불이 붙었는데……
화상을 입지 않아.
바이러스를
억제하는 온도에
멈춰 있어!!
쵸파
선생님~~~
~~~~~~
~~~~~!!!
?!
아.
빠밤!!
미야기!!
트리스탄!!
조제 준비를
마쳤습니다.
어서
이쪽으로!!!
저희도
도울게요!!
TRISTAN
간호사 트리스탄
MIYAGI
밍크족
의사 미야기
고마워!!
탑 안이라면
집중해서
만들 수
있어!!
그어어어~~!!!
꼬악—!!
우와악.
빙귀
무리다!!
으악—!!
둘 다
도망쳐!!!
꼬악
와!
어차피
전원이야.

'봉리력
(鳳梨礫)'!!!
?!!
그어억~
~~~!!!
응?
뜨거…….
그다지
안 뜨겁네….
아아…
아.
몸의 한기가
사라져 가
………!!
엇……
나는……….
오오마사
두목의 의식이
돌아왔어!!
~~~

끄아아악 ~~~~!!!
아뜨뜨뜨거!!!

마르코~~! 저 자식, 뭐 하러 온 거야!!!
쓸데없는 짓을!
이봐! 늬들 빨랑 항체를 빼앗아라!
적이 늬들을 구해줄 리 없잖으냐!!!
엇…. 역시 그럴지도 ……!

네 말대로 열을 끌어내긴 했는데
체력에 한계가 오면 또 조금 전의 오니가 될 거다!!
고마워! 미야기, 무사해?!
고마워. 아무튼 이 틈에
'항체'를 양산할게!!

상황은 대강
이해했다…….
롤로노아.
옥상으로
가고 싶으면
내 날갯짓
해주지.
!!
너희도 피라미
상대나 할 놈들
아니잖아.
!
하지만
쵸파 씨를
거들어야….
오오오!
괜찮네,
해골 형씨!!
너구리 형씨는
우리가
지키겠소!!!
두목들!!
부탁해!!!
기다려,
이 자식…….
헉.
헉.
아푸!!!
문을
닫아라!!
'항체' 이리 내놔.
그거 뺏기면
내 인생은
끝장이라고!!!
팍!!
이거
애먹겠는데요!!
?!

와그작
?!
끄와아악
~~~~
~~~~!!
드레이크 씨?!!
역시 완전히
적이 됐어!!!
X DRAKE
전(前) '토비롯포'
X 드레이크
용용 열매 고대종
모델 알로사우루스
윽
날 진정
같은 편으로
생각한다면
와!
끄악!
여기는
맡기고
너희는
가라!!
!!
이기는 편에
서는 재능은
있는 것
같군.

성안
4층——.
상디는
강력한 적을
알아채고
와아아아아아
3층에서
잡아두고
있는 걸지도
모르겠군………!
그렇구나!
내 '견문색'은
아직
멀었나 봐!
두두웅
하아….
하아….
그리고
이 층도
………!!
——한 사람
남는 편이
낫겠구먼……!!
틈을
만들겠다!!
——먼저
가게나, 루피!!
돔 내부
'우뇌탑'
중앙통로
'제너럴'~
~~~~!!!
와아아아아
~~~~

!!!
'런처——'!!!
으와아아악!!
..........!!
비켜라,
너희들!!
끄악——.
욱!!!

으억.
응?!!

사사키
니임~~
~~~~~!!!
쿠우
으어엇──!!
?!
우웅!!
아야야야아아아아아
시건방
떨기는….
트리케라톱스
?!!
~~~~~

해치워 버려요―!!
이제 아무것도 안 통해―!! 로봇 자식아!
와아아
공룡이었나!
단념해라. 실재했던 '최강생물'이다 ……!!!
성안 3층 '연회장' ――.
도망쳤어!!
와
꺄아
아니…. 도망칠 방도가 없어.
삐리잉♪ 삐디디잉!♫
'토비롯포' 사사키
용용 열매 고대종 모델 트리케라톱스
SASAKI
자기야, 기다려.
휘이~
기다리래두 …….
으와악~ ~~~!!
꾸불
꾸불 꾸불 꾸불…
안 돼♡
도망치지 마♡
덥석
윽…… ……!!
엇!!

러잉!
그쪽 말야.
나 좋아한다고
했잖아♡

우후후♡ 평생 여기 있어. 내가 키워줄 테니까♡
'토비롯포' 블랙마리아
거미거미 열매 고대종
모델 로사미갈레 그라우보겔리
하아… 하아.
난 꼭 가야만 해 ………!!
── 하지만.
하아. 하아.
여기를 보나 저기를 보나
여자.
까하하 하하.
여자.
우후후후.
여자.
여기는… 천국인가.
얘, 맛이 갔나 봐!!

성안 4층
'고양이
카페'
아— 아—.
'밀짚모자'가
가버렸잖아.
카이도 씨에게
누를 끼치겠군.
우리 부하 좀
그만
괴롭혀주겠나?
'토비롯포'
후즈-후
고양고양 열매 고대종
모델 사벨 타이거
WHO'S-WHO

'전(前) 칠무해 '바다의 협객 징베"가 점잖지 못하게.
'밀짚모자 일당 조타수'라네…!!
가치 있는 쪽으로 불러주지 않겠나?
아, 미안하군. '칠무해' 시절에…
본 적이 있는지라….
?!
뭐, 이건 별거 아니고.
………
맨얼굴을 보면… 알 텐데.
헤헤…. 안 보여줘.
크르릉!

'오니가시마'
돔 바깥
쿠과앙!!
적이다!!
'토비롯포'다!!
으와악.
공룡이
두 마리
나타났다!!
ULTI
'토비롯포'
울티
용용 열매 고대종
모델 파키케팔로사우루스
PAGE ONE
'토비롯포'
페이지원
용용 열매 고대종
모델 스피노사우루스
끼이~~…
어디 갔어,
그 자식들….

돔 안
창고
하아… 하아.
여기라면 사람은
오지 않아.
……
…….
이것은
무엇이지?
용
조각상…….
예전에는
섬 정면에
있었는데
내 친구가
부수는
바람에
이렇게
버려졌어
………!!
친구…?
그래.
머리통
쪼개버리겠
사와요,
그 계집……!!!
몇 년 전…
아버지를
죽이러 온
남자….
쿠오오오…

그림 색칠 코너

쿠콰아..앙!!
그만해, 에이스!!
그냥 돌아가자!!
헉… 헉. 웬 놈이냐! 이름을 대라!
하아.
하아…
네가 먼저 말해!!!

나는 에이스!!!
카이도의 목을 치러 왔다!!!
제999화
'그대를 위해 빚은 기다림의 술'

아버지는
원정 중이야!!
지금 이 섬에
간부는
한 사람도
없어.
빠밤!!
아버지?!
엇.
카이도의
딸?!
…….
찌릿
이만큼
날뛰었으면
충분하겠지!!!
쿠웅!!
난 딱히
이 섬을
지켜야 할
이유도 없지만.
?!

……
……
짜랑…
됐지? 에이스.
우선 본토로 돌아가자!!
납치당한 애들 가족이 기다리고 있어………!!
감사합니다. 감사합니다.
——이렇게 센 녀석이 선장조차 아니라니 납득이 안 돼.
끝장을 보고 간다!
난 야마토! 심심하던 참이다! 상대가 되어 주지!
으랴압!!!
야아앗!!!
쿠구우웅!!!
콰아앙!!
쿠가앙!!

부모는 고를 수 없다, 야마토!!
하아….
?!
아버지를 그토록 미워하면서
'수갑'이야 그렇다 치고 왜 마음까지 얽매여 있어?!
발끈!!
뭐야…?!
콰차아앙!!
뽀각!!
으왓—! 야마토 도련님! 안 돼요, 안 돼!
그아아아아아아
그건 카이도 님의 '힘'의 상징!!!
쿠구우웅!!
나도……!!
바다로 나가 모험하고 싶어!!!
오뎅처럼 자유롭게 살아보고 싶다!!!
두웅!!

씨익!
그거다, 야마토!!!
두펴엉
!!!
어?!
짜안!!
와하하하하!!
뜨하하하하!!
쿵챙♪
아하하하하!!
…… …….
아쉽다. 이렇게 강하고 죽이 잘 맞는데!!
이것만 풀면 언젠가 반드시!!
나도 꼭 바다로!!
저기 말야, 해외는 어때?!
젊은 녀석들이 자꾸 쏟아져 나오지?!
젊은 것들? 그렇지, '캐번 어쩌고' 라는…
놈은 얘깃거리더라…
나야 급이 다르고…
지금 각 바다에 굉장한 놈들이 날뛰고 있다던데.
남쪽의 '키드'랑
북쪽의 '로', 서쪽의 '벤지'….
반짝 반짝
♪

하지만
만만찮기로
으뜸인 건
몇 년 후에
출항할
내 동생이지!!!!
두웅
반드시 강대한 존재가 될 거야…!!
네 이야기, 남동생이 몇 번이나 나오는 거야?
몇 번이든 들으면 뭐 어때?!
아프다구.
프하하핫!!
팡팡!!
사실은 이…… '용 조각상'……! 처음에는
내가 부쉈어!! ──하지만 그는 말했지.
'이건 내가 다음에 오는 그때까지'
'카이도에게 하는 경고다'라고……!!
아버지는 노여워했지만… 에이스와 만나는 일은 없었어.

와노쿠니를 구해주려던 해적이 있었던 건가……!!
아…… 카이도는 내 아버지야.
응? 아버지?
뭐엇~~~~~~~~~~~~~~~~~~~~?!!
참— 미안! 말을 안 했구나.
근데 나 그 자식 무지 싫어해!
난 오뎅이라고 말했잖아!
영문을 모르겠어!
까양!!
대충 이해했습니다.
존댓말 쓰지 말고 이리로 와!
—그런데 어찌 우리에게 그 사내의 이야기를……?
에이스는 2년 전에 죽어버렸지만
……!! 그랬는가.
그는……
와아아아아아아
쿠구우…웅
그렇시야요! 저는 쭈욱
에이스를 믿고 여닌자가 되려고 했는데
루피 오라비는 배려라곤 없이……!!
—하지만 오타마…. 루피도 그 사건 힘들어했어…….
네?
두두두
아니야, 미안해. 걔는 원래 그런 녀석이라.
두두두

돔 내부
'라이브
플로어'
펑
와아아 아아아아아아아아
마르코를
막아랏——!!!
!!
와
그 자식,
설치게
두지 마!!!
저 녀석
우리
도와줬는데…
퀸 님에게
죽고 싶어?!
우오오오
오오오~~
~~~~!!!
우오오오!!
다다다다
이 판국에
카이도를 직접
노리지는 않아.
니코 로빈!!
뼈남자!!
성으로 달려!!
알겠어.
말씀대로
따르지요!!
해치웠다아!!!
'불사조 마르코'오
~~~~~~!!!
으앗.
두두두두두!!
86

갈 수 있겠나.
부탁한다!!!
확 확 확…

으와아아
아아아아
아아악!!
파가닥‥

이봐!!
'밀짚모자'의 동료를
옮기려 들다니!!

이거 좋군.

…….
부탁이야,
아버지!!
안 될 소리,
멍청아!!

……
…….
몇 번을
말하느냐,
에이스….
와글
와글
시끌
시끌
네가 맡은
'2번대 대장'
자리에
누가 있었는지,
왜 줄곧
결번이었는지
……!!
우리도
오뎅 님의 죽음을
알게 된 건
사건이 있고
몇 년이나 지난 후의
이야기다…….
와노쿠니로
진군을 몇 번이나
생각했지만
우리가 움직이면
무슨 일이 터질지
그 희생을
상상할 수 있어?
그럼
나만이라도
가게 해줘!!
약속했다구!!!
……
…….
'코즈키
오뎅'이
쓰러트리지
못한
남자를!!!
네가
무찌를 수
있을 거 같냐!!!
건방 떨지 마라,
에이스!!!
콰
장
차아
아
왓!!

제하하하.
하긴 오뎅 씨
참 강했어!!
에이스 대장이
거물의 목을
치고 싶을 만도
해!!
입 다물어,
티치!!
에이스의
목적은
'거물
사냥'이
아니야!!
……
…….
젠장….
더 강해지지 않으면
약속은 지키지도
못해….
그만한 걸
짊어진 거다……,
너는.
아버지의
GO 사인이
떨어지면……,
에이스.
나도
꼭 불러다오.
철컥…
나 역시
부탁하마.
!
그럼
이기겠지,
뭐….
네
눈대중은
왜 그렇게
대충이야?!
……
주륵
헤헤….
마르코오!!!
파닥!!
!!

쉽사리
통과 못 할 줄
알아라!!!
이제
코즈키 오뎅의
아들이 죽으면
사무라이들은
이미 전원
죽었을
즈음이겠지만!!
진심으로
그렇게
생각하는
거라면,
감이
떨어지는군…!!
우웅!!
QUEEN
대간판
퀸
용용 열매 고대종,
모델 브라키오사우루스
닥쳐라,
새끼 새
같으니!!

이 싸움은
끝이다!!!
KING
대간판
킹
용용 열매 고대종
모델 프테라노돈
너희는 지금
'신시대'를
상대하고
있는 거다!!!
두두
두
엑——
——?!!
루…
루…
두두두 두두두
루피
오라비가……!!
두콰콰 콰
!!!

에이스의 동생~~~~~~~?!!
나, 오라비한테 막말했시야요!!
테——엥!!
신경 쓰였으면 맞받아쳤을 거야. 괜찮아!!
——그보다도!! 네 '작전' 해보자!!

뭣…?!!
그자가 로저의 아들이고
루피의 형?!!
참말이오………?!!
테——엥!!!

너희가 루피를 '와노쿠니'로 데리고 온 거지?!
그렇소………!!
하늘의 별 만큼 많은 해적 중에
너희가 만나…!! 이 나라로 데리고 온 건…
나는 운명으로밖에 안 보여!!
부스럭…

왜냐면 루피의 이름에는
'D'가 붙어 있으니까!!!
웅!!
?!

하아——
—!!
맛있어!! 불꽃, 맛있어!!
팍팍팍!!
아~~~~. 나도 배불러.
충~~전~~ 완~~료~~♪

하~~~~~ 하하하마마마마…. '밀짚모자'는 아직 안 왔나?

이봐, 카이도!!
얼마나 죽이든 상관없지만
니코 로빈은 살려두는 거다?

너네 그 삼안족은 고대 문자를 읽지 못하나?
푸딩 말이냐!! 글쎄. 진정한 개안은 이제 못 기다려 ……….
이 섬은 어디에 떨어트릴 참이지?
'꽃의 도읍'에 '코즈키'를 상징하는 성이 있다.
웅!!
워로로로. 좋은 도시가 될 거다.
'로드 포네그리프'는 거기에 있나?

마마마마. 축제가 한창이라며? 꽤 죽겠군.

상관없다. 노예 조달은 쉬워…!!

Piece
제1000화
'밀짚모자 루피'

One

vol. 99
ONE PIECE

성안
'5층'——
아!!
하아… 하아…
우리는
이런 것
정도밖에
못 하지만
빠
밤!!
지나가라.
옥상으로
가는 계단은
안쪽이다!!
INUARASHI
밍크족
이누아라시 삼총사
고마워!!
시시마무시!!
시실리안
이다.
나 잊지
않을 거야!!
너희가
?!
목숨 걸고
라이조를
지킨 거!!
와아아아아
고맙다!!
다녀올게!!

와아아아아
제길…!!
무적이냐.
뭐야,
이 자식 능력!!
화르륵
!
타닥…
!!!
터덥!!
!!!
워워……!!
좀 얌전히
보내줘라.
부우웅!!
으엇!!
갑자기
날리기냐?!!
아아아아
아

쿠구…웅
디……?
왁
그건… 아버지의 일지인가?!
설마 모모노스케 군과 만나는 날이
올 줄은 몰랐어….
와아아아아
이건 물론 너한테 줄게.
그날… 오뎅 성 기슭의 강에서 주운 거야….
…… ……
불타는 성에서 누군가가
이 일지를 지킨 거겠지…….
여기에는 오뎅의 호쾌한 인생과
그가 느낀 세계가 전부 기록돼 있어!!
오뎅 님….
아버지…….

너는 '흰 수염'의 배에서 태어났지?
—그리고 로저의 배로!!
……
그들은 이렇게 말해. 20년 이상 지난 미래…!!
이 '신세계'에……!!
젊은 강자들이 밀려들 거라고……!!
그게 지금이야!!
……
—나는 그 필두가 에이스라고 믿었어….
하지만 그가 죽었을 때…….
떠올렸지……!!
아~~~ ~~~~!!
꺄아아아아아
아뿔싸, 말이 헛나왔어!!
실수로 한 말이야!!
방금 거 취소!! 잊어버려!!
아니, 아무튼.
절대 웃지 마라?!! 그건 나랑 사보가 용서 못 해!!
빠밤!!
철렁!!
그게 동생의 '꿈의 끝'이야!!
뭐……!!

루피가 그 말을 했을 때는
그야 우리도 웃었지만!!
……
남이 웃는 건 안 돼!!
우리는 믿고 있다고!!
글썽
그 녀석은 진심으로
두. 웅
할 수 있다고 생각하거든!!
그러니까 …….
에이스!!
?!
두ㅡ웅!!
응?
야!
나는
안 웃어……!!!
그건 '해적왕'이 한 말이다.
주륵…
왜 그래, 야마토……?!

오뎅을
간 떨어지게
만든
그 말!!
코즈키
오뎅의
일지 속에……
그거랑
똑같은 말을 한
위대한 사내가
있어!!
………
헤에….
웃을 리가
없지……!!
네 동생은
굉장해!!
위대한
사내라….
나쁘지
않군…!!
그 녀석과
루피랑 언젠가
술 한잔 걸치고
싶은걸?!!
아하하하.
이야기가
잘 통했을
거야!!
응?
이미
죽었지만!!
고인이냐!!
프하하하
—
다 됐어.
이게
빠바!!
네
'비브르
카드'.
?
뭐야,
종잇조각이잖아.

그래!
이 종잇조각이 너와 나를 다시 만나게 해 줄 거야!!
떨어지기 싫은 동료나 또 만나고 싶은 사람에게 주면 돼.
오~!!
꼭 다시 만나자, 에이스!!
물론이지!!
에이스의 카드는
어느 날 흔적도 없이 사라졌지만…
훗날 신문으로 모든 걸 알았어.
에이스가 로저의 아들이었던 것도
'동생'이 정말 해적으로 이름을 날린 것도……!!
그게 네가 데리고 온 루피야!
오뎅은 '미래'를 이렇게 써 두었어….
하아, 하아….
다다다다다다
두콰아앙!!
?!
하아… 하아….

!!
두우 ‥웅!!
척‥!!
웅…!!!
——20년
이상
앞의 미래에
다음 시대를
짊어질 강력한
해적들이
척…

또 늘었군.
너희는 내 싸움을
구경이나 하시지!!
'밀짚모자'.
탐나는
모가지들뿐!!
두
'신세계'로
몰려들
거다……!!
내가 만약
죽었다면………!!
카이도를
물리치는 건
그 녀석들이다!!!

아.
!
응?
!
저벅.. 저벅..
저벅.. 저벅..

링링!! 이 꼬마, 내 앞에서 '무엇이' 되겠다고 한 줄 아나?

이 녀석은 시건방져!! 내 앞에서도 아주 허풍을 떨었지.
내 성도 박살 내놓고. 일단 사과해라, '밀짚모자'아!!!

?!!
저벅.. 저벅..
엉?

………
저벅 저벅

……
철컥..
어이, 애송이!! 네가 대체…
'무엇이' 될 건지 우리 앞에서 다시 한번 말해 봐라.
괜찮냐, 킨에몬………!!
추욱…
미안하다. 늦었어.

뻐끔
뻐끔
……
쿨럭

빠 방!!

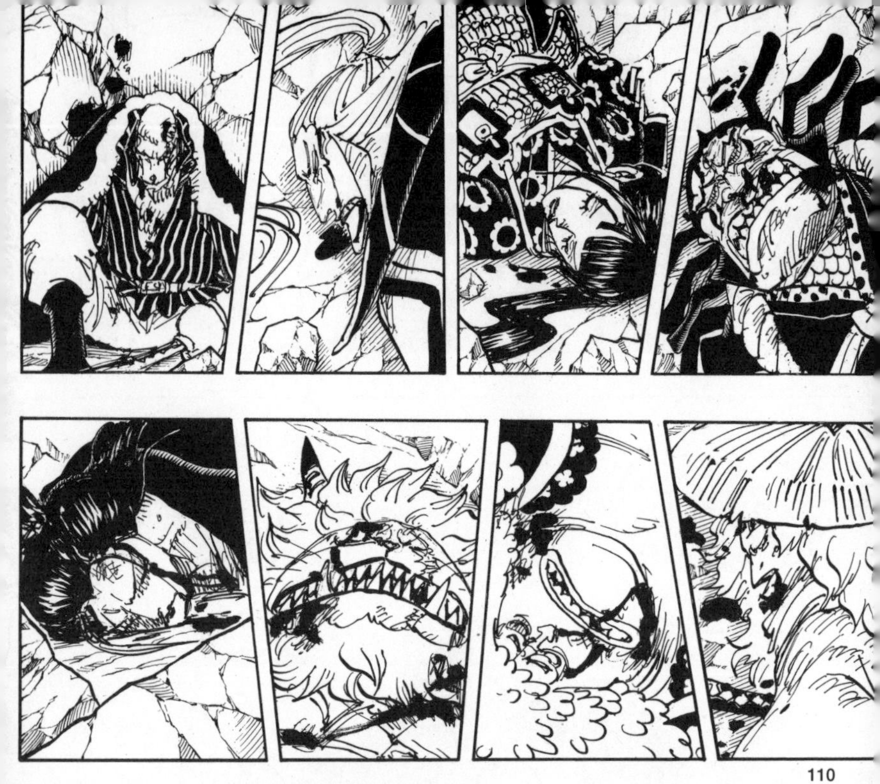

워…!!
원통하오!!
……!!
하아… 하아….
저세상에서…
오뎅
님을……!!!
훌쩍
뵈올 면목이
없소………!!!

!
꽈악

짊어주겠소
이까……!!
……
……
'와노쿠니'를
…!!
!

바보야!!
당연하지!!
친구의
나라니까!!!
!!

………!!!

어이,
애송이!!
크크
크크
크
!
으윽…!!

감사하오
…!!!

트랑이!!
얘네들
다 아래로!!
!

팟!

콰콰아앙!!
쿠구우…웅!!!
으와아악.
왁!
끄악!
기어 '3(서드)'!!!
'고무고무'우!!
쿠구
쿠구
라이조 님은…
적에게 '동료'를
팔 수는 없사!!!
20년 전의 와노쿠니에서
시간을 넘어
돌아왔소이다.
살아 있었어…!! 아직 반역의 불은….

무사하십니다!!!
두두
?!!

째릿

카이도를
쓰러트리고
싶소!!!

에비스 마
주책바가
타앙
저세상으로
떠난다!!!
타앙

오뎅
님은…
그대로
'꽃의 도읍'에서
죄인으로서
돌아가시었소.

?!!

'레드 로크
(업화권총)'!!!
야!!

이봐, 카이도. 뭐 하고 있어?!
네가 맞고 쓰러지다니!!
콰과광!!
나는 몽키 D. 루피.
너희를 뛰어넘어……
'해적왕'이 될 남자다!!!
?!!

(이시카와 현 · I♡OP 씨)

: 모두가 사랑하는 야마토의 옆 가슴을 의인화 해주세요!! P.N. 야시라이

: 네— 의인화 특기랍니다—……. 할 것 같애?!!
옆 찌찌 의인화라니 그게 뭐야!! (해보긴 했는데)
나 참, 이번에 야마토의 옆 가슴이니, 빼꼼 찌찌니
이런 엽서 진짜 많네! 댁네들 말야, 다음은 100권이라구!
그런 난잡한 엽서 절대로 안 쓸 거야!
건전하게 갈 거라구, 진담으로!!

: 오다 쌤! 야마토의 연령 · 신장 · 좋아하는 음식, 알려주세요!
P.N. 펌프킨

: 네, 올바른 질문~. 그야 이런 질문이면 대답하고 말고요.
28세 (모모노스케와 같은 해 탄생) 263cm (2 루피)
좋아하는 음식은 물론 오뎅. 그리고 연어를 좋아합니다.
(날것, 통짜로).

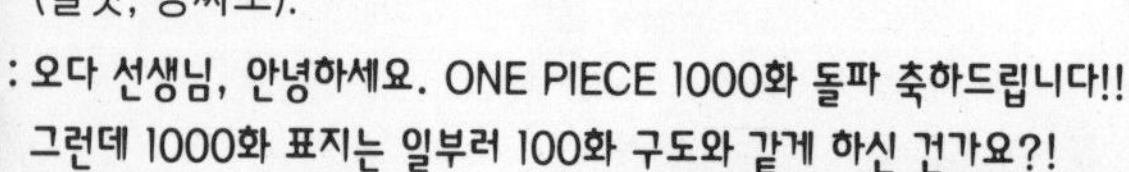

: 오다 선생님, 안녕하세요. ONE PIECE 1000화 돌파 축하드립니다!!
그런데 1000화 표지는 일부러 100화 구도와 같게 하신 건가요?!
눈치챘을 때, 소름이 멈추지
않았어요!! P.N. 키노 씨

: 맞습니다—! 오랫동안 읽어주신
사람들은 눈치챌 수 있을지도
모릅니다만, 도중에 읽기 시작한
사람은 본 적이 없을지도요—.
양쪽 다 기념인 것으로써 맞춰봤습니다—!

: 966화에서 로저와 레일리가 모모노스케와
히요리를 안으면서 '아기는 오랜간만이군!!'
'옛날이 떠오르는걸'이라는 말을 했는데,
옛날에 누구의 아이를 안아본 걸까요?!
로저의 배는 여자의 기운이 안 느껴집니다만…. P.N. 백작 디노

: ……. 어? 말했나요? 그런 소릴….? 그냥 읽고 넘기세요!!
신경 쓸 거 없어요, 없어! 휘유—♪ 휘유—♪ (휘파람)

제 1001 화
'오니가시마 괴물 결전'

표지 리퀘스트 '해파리의 머리에서 우아하게 쉬는 징베' PN. 토모키야(智規屋)

요 망할
꼬맹이가
이 마당에
이르러서
쿠쿠쿠쿠…오오
'해적왕'
이라고~~
~~~~~
~~~~?!!

내게
공격이
통해……?!

저건가….
'와노쿠니'
영감에게
배운 패기….
뭐야, 방금
'패기'는………
타격 같은 게
카이도한테
먹혀?!
홧홧화!!
'승산'이
있군!!
한 마디…
해둬야겠어.
으득…

네 녀석,
'해적왕'
이란 게
어느 정도의
존재인지
알고나
있는 거냐?!
………
……!!
후둘
쿠리에서 내게
대판 깨진 후
무슨 일이
있었던 거지?!
손에
꼽는다……!!
나와
싸울 수 있는
녀석은!!!
쿠ㅋㅋ
………!!

네가……!!!
그만한
존재란
말이냐?!
두웅!!

'밀짚
모자'아……

'뇌명(雷鳴)'
………
씨익…

휘이익
!!
!!!
치익...!!!!
'팔괘
(八卦)'!!!
윽!!
데굴데굴
데굴
……!!

젠장!! 미래를 읽었는데!!
빨라!!
욱신!!
좋아…. 두 번째는
정통으로 맞지 않는군…!!
화륵!!
'헤브리'
!!
사사사 샥
찰캉…
'여우불 류(流)'……!!!
찰캉…

'파이어'!!!
'화염
가르기'!!!
츄왁!!
화르륵!!!
오오-!!
킨에몬의
기술!!
끄아아
아악!!!
헤헤….
훔쳤지.
프로메테우스!!
아야야!!
치지…익!!

잠깐도
긴장 풀지 마,
루피!!!
'사황'이
둘이라고!!!
엇.
'샘블즈'!!
웅!!
파악!!
부우
!!
왓.
트랑아!
파악!!
여,
밀짚모자
……!!
말해
두겠는데…
난 애초에
킨에몬네를
아래로 보내줄
생각이었다!!
빠-밤
뭐??
그걸
네 녀석이
……!!
트랑이,
얘네들 다
아래로!!

마치 내가 네 명령을 들은 것처럼!!
상관없잖아, 어느 쪽이든!!
트라팔가… 너, 마침내 '밀짚모자'의 부하가 된 줄 알았다.
될까 보냐아!!!
아랫급이 아랫급한테 들러붙든 내 알 바 아니다만……!!
어엉?!
두두두
태워버려라, 프로메테우스!!!
'헤븐리 봉봉'!!!
네, 마마!!
그럼 저거 먼저 손댄 사람이 아래!!
하겠냐, 멍청아!!
하찮은 게임을 꺼내 드는 그런 점이다!!
네가 거물이 못 되는 이유는!!
크오오오오
좋아, 그럼 너희들 '내 밑'.
!
오오오
…………!!

!!!
으와아악!!
뭣들 하냐, 늬들!!!
콰아앙…
프

링링, 물러서 있어………!! 이 녀석들의 힘을 보고 싶다.
또 별난 짓을…!!

방해하기 없기다? 살인마 카마조!!
!!
그런 이상한 웃음소리 그다지 흔하지 않거든.
까앙!!
…………
……!!
횟횟횟!!

이 '퍼니셔'를
끼고
있었다면
넌 죽었어,
조로주로.
!!
결과는
똑같아!!
'삼검류'!!
'연옥(煉獄)'
………
!!!
'도깨비
참수'!!!
'참수
클로'!!!
으윽!!!

욱신
워로로로….
과연…!!
조금 더
'엠마'를
개방해야겠군….
퍼벙!!
이 자식
——!!
!!

쏴아 쏴아…!!
단숨에
승부를
낼 테다!!
쿨럭.

'펑크
로튼'!!!
'기어 4
(포스)'!!!
'ROOM'!!
오거라!!

웅!!
!!!
워로로
로로로!!!

아주 괴물이 따로 없군, 이 녀석들!!!

네가 튼튼한 건 잘 안다!!
하지만 짓눌리면 '압사'되지 않을까?!

'고무고무'!!
끼릭
끼릭

나는 '체내'에…
의술적인 죽음을 안겨주마….

'콩 건'!!!
'펑크'
'바이스'!!!

오오….

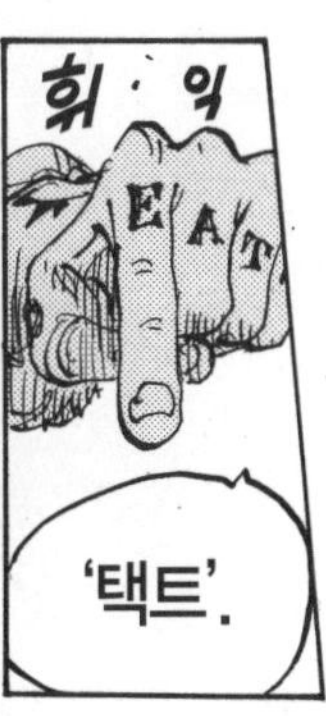

휘익
EAT
'택트'.

으아아아
아아아!!!
두두두두두 두!!
!!!

후두둑…
마~~~~
마마마하
하하….

쿠릉쿠릉…!!
번쩍!!
마~~~
~~~~
마마마!!
하하하~
~~~!!

후두둑…!!
워로로로….

워로로 로로로로!! 죽이기 아깝구나!!!
——하지만 별수 없지!! 너희가 죽으면 모조리 받아 가마!!
?!!
'동료'도, '보물'도 전부 우리의 것!!!

너희라면
'포네그리프'를
갖고 있겠지?!
기대되는걸!!!
!!!
이긴 놈이
크게
다가간다!!!
'해적왕'에
말이다!!!

(나라 현 · 후지모토 타카히사 씨)

D : 오다 쌤, 제978화의 라이브 플로어에서 'FUNK!'라고 외치는 장면 속에 카쿠나 '신우치' 햄릿과는 다른 사람으로 보이는 기린의 기프터즈가 있습니다만, SMILE은 같은 종 능력자를 잔뜩 만들어 낼 수 있는 건가요? 그것도 천연(?) 악마의 열매 능력자가 있다고 해도 상관없이.

P.N. 타로 in the 다크

카쿠 햄릿

FUNK!한 기린

O : 네. 음—. SMILE은 '인공 악마의 열매'라서, '악마의 열매'랑은 완전 별개의 물건이에요.
대강 설명하자면

★ 펑크 하자드의 'SAD'
　온갖 동물의 혈통 인자를 뒤섞어 넣은 액체.

★ 드레스로자의 'SMILE' 공장
　식물에게 SAD를 흡수시켜 키우면 기묘한 무늬의 열매가 된다.

★ 와노쿠니로
　수입된 열매 10개 중 하나만 동물의 능력을 얻을 수 있다.

예컨대, 진짜 '악마의 열매'는 관계가 없습니다.
그러니 같은 동물의 기프터즈는 존재할 수 있고,
혈통 인자는 존재하는 생물에게서만 추출 가능하므로,
'환수종'이나 '자연계', '초인계' 같은 능력자는
태어나지 않습니다. 이것이 과학자 시저의 한계입니다.
하지만, 그 천재 과학자 베가펑크는 바로 그 영역을
뛰어넘는 연구를 했었다나... 뭐라나....

D : 오다 쌤! '거미거미 열매'와 '벌레벌레 열매'의 차이를 알려주세요.

P.N. 오오츠키 슌

O : '곤충'은 '벌레벌레 열매'.
거미는 곤충에 포함되지 않기에 '거미거미 열매'입니다.

제 1002 화
'사황 VS 신세대'

표지 리퀘스트 '공원에서 비둘기들에게 모이를 주는 루치' PN. X·5GO

구 구구...
쿠구 구구
'괴풍
(壞風)'.

핫!!!
파!!

캉!!
키드!!
!!!

콰그작!!
철컹 철컹..
애초에 철 쪼가리.
키잉!!
쩌억!!
채앵!!
드드
드욱
끼리릭
'고무고무'
!!!

'콩'
광!!!
덥!!
철컹 철컹!!

'라이플'
!!!
쿠오오오
'슬램'

끄워어어!!!
'깁슨'!!!
덥석!!
!!
콰과과
으윽…!!
잉!!

용의 내장 구조는 본 적이 없지만
파!
이쯤이겠지.
심장은.
빠방!!
'감마 나이프'!!!
으어어 어어!!!

잔꾀를…!!!
내 강도는
학습이 끝난
건가……!!
쿠구…
그냥 근성
바보들은
아닌가
보군…!!!
쿠구…
퍼펑!
콰콰콰!
이
'단단함'에는
눈물을
쏙 뺐다.
내부로
깊숙이 베면
되겠지!!
서깨애애액…!!

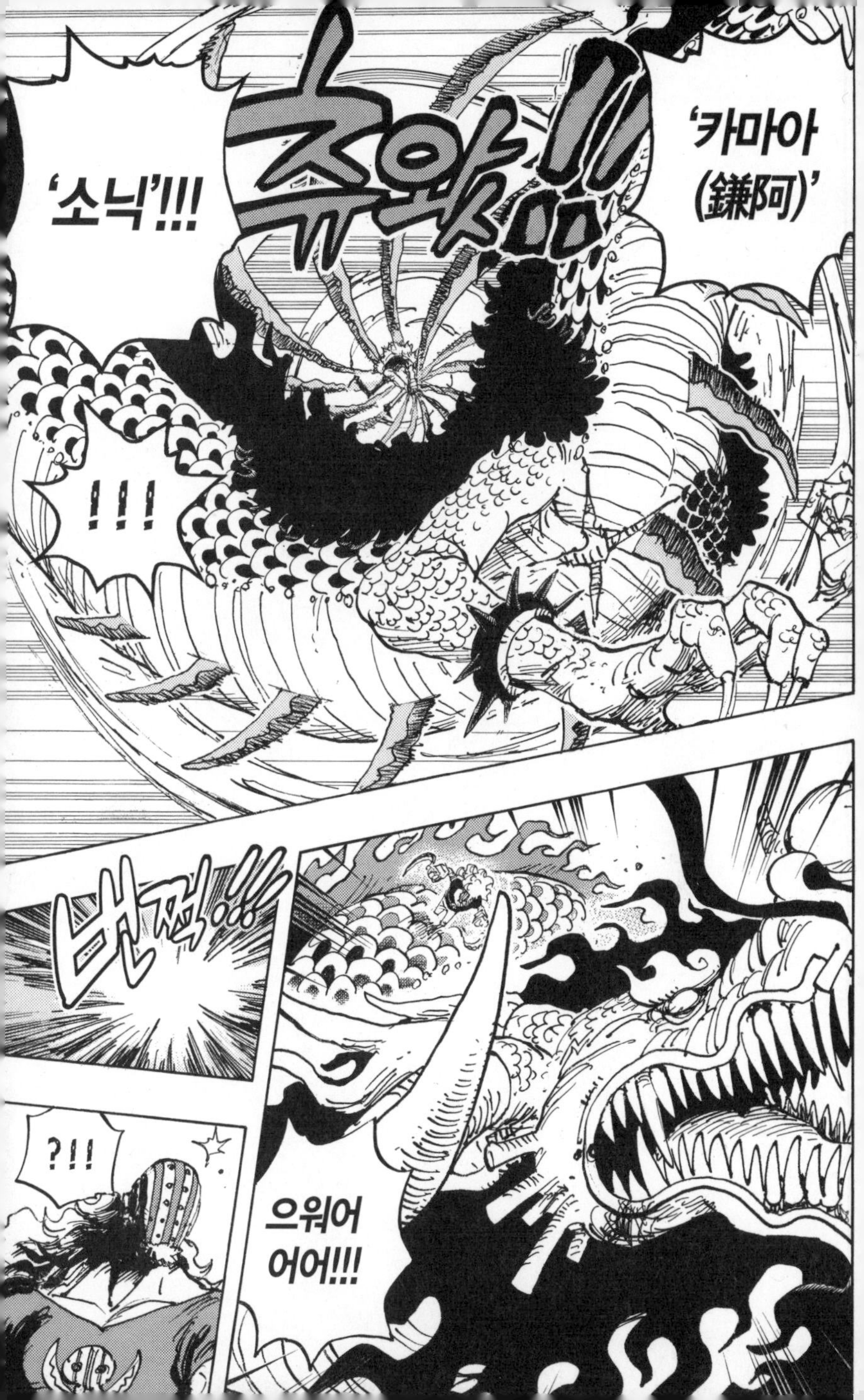
'카마아
(鎌阿)'
추왁!!
'소닉'!!!
!!!
번쩍!!
으워어
어어!!!
?!!

'인드라
(威鼓)'!!!
!!!
파
지지익!!!
킬러!!!
마~~
마마하
하하하!!!
이 하늘
아래 있는
한…!!!
파직
파직
크르릉...
너희가
도망칠 곳은
없어!!!

이 녀석들, 상상 이상으로……!
!!
'라이노 슈나이더'!!!
!!!
……
…!!
트랑이, 날 위로 날려!!
!!
다다닥
너희들 줄줄이……!!
난 너희 돌보미가 아니라고!!!
팟!
척

'보로브레스'
!!!
팟!
'화염
가르기'!!!
?!!
뭐지?!
'일검류'.
조로!!
'비룡(飛竜)'
피해!!
카이도.
그건
보통 검이
아니야!!!

'화염(火焰)'!!!
두
웅!!
?!!
어째서 저 녀석의 검에!!
'오뎅'의 기척이 실려 있지?!!
너무 깔봤군.

헉… 헉….
젠장!!
빗나갔어 ……!!

!!!
지직…!!
파지
조로!!

마~~~~~
마마마마마마마!!
하하하하!!!
'천만
(天滿)'!!!
과과광!!
달아날
곳이 있을
쏘냐아!!!
으악!!
두웅!!
제길!!
'천재지변'
이냐!!!
쿠궁
엇?!
투웅-!!

!!
응?
빠
방!

밀짚모자아!!
너 왜
번개가
안 통하지?!!

두─웅!
고무니까!!
!!!

……
……
잘도
재네들을!!

!

'보로브레스'
!!!
으와아악
~~~!!!
!!!

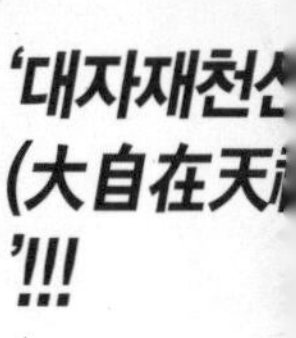
'대자재천신
(大自在天
'!!!

?

으와아
아악.
~~~

……
…!!
빠방!

불꽃도 안 통해?!
어째서지?!!

근성!!!
'고무고무'!!!
!!

!!!

'콩'

'개틀링' !!!!
끄워어어 어억!!!

(도쿄도 · 익명의 A씨)

D : 오다 선생님에게 질문이 있어요! 스마일 능력자들 디자인 중에 마음에 드는 캐릭터 베스트 3를 가르쳐주세요!

P.N. 타로

O : 과연. SMILE 능력자 참 재밌어요, 그쵸! 바보 아닐까? 그 녀석들. 고르기가 어렵네요―! 그럼 제3위 는 '스피드'! 말순이입니다. 켄타우로스라고 하면, 보통 우락부락 근육에 털보남이 떠오릅니다만, 이걸 요염한 여성으로 하자니, 말의 다리로는 멋쩍어서 허벅지까지 인간미를 표현했더니 아름다워졌는데 웃는 얼굴이 바로 그거죠. 반전 매력이에요. 제2위 ! 생김새가 이상한 시리즈의 대표격 '햄릿'입니다!! 기린이 부들부들 떨면서도 발에 힘주고 버티며, 생물로서 실패했는데 그 발언은 무척이나 긍정적이며 왕자인 척 구는 모습. 사랑하지 않고선 못 배겨요.

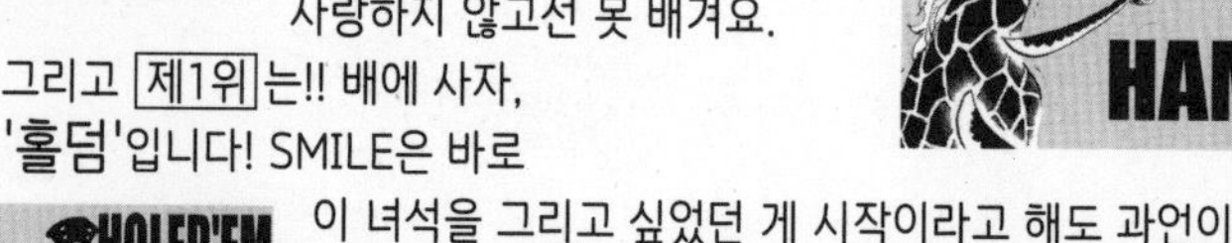

그리고 제1위 는!! 배에 사자, '홀덤'입니다! SMILE은 바로 이 녀석을 그리고 싶었던 게 시작이라고 해도 과언이 아니에요. 옛날에요, 로봇 애니메이션 중에 '미래 로봇 달타니어스'란 게 있었거든요. 사자 로봇과 인간형 로봇이 변형 합체해서 가슴에 사자 얼굴이 달린 로봇이 된답니다!! 그걸 어린 시절에 멋져서 참 좋아라 했죠. 초합금 갖고 싶었어~! 라는 저의 동경심이 여기에 반영된 것이죠!! (웃음) 아, 말하면서 생각난 건데,

켄타우로스의 로봇 '대마신'이란 것도 완전 좋아했는데요. 그래서 말순이가 마음에 드는 걸까? 음, SMILE은 모두 합체 로봇이에요!! 멋있어!!

제 1003 화
'반상의 밤'

표지 리퀘스트 '레이주가 전갈에게 선인장의 꽃으로 사랑의 고백을 받는 모습' PN 노다 스카이워커

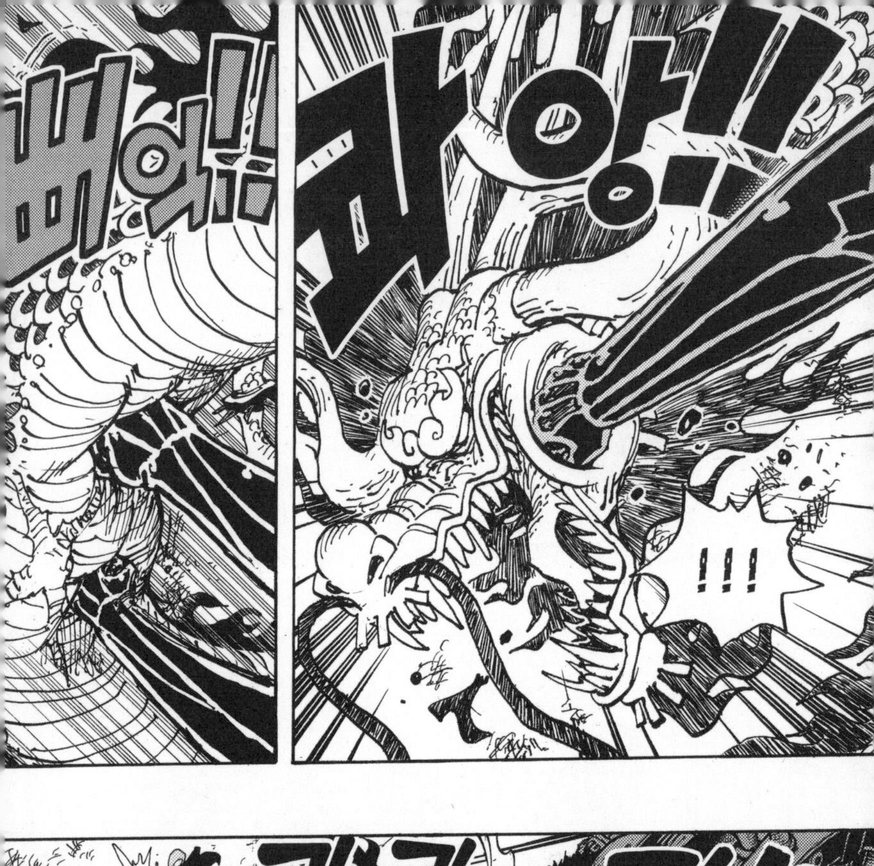
콰앙!!
!!!
뻐어!!

콰콰
쾅!!!
우어어어어 어어어어어 ~~~~!!!
………… ……!!!

콰콰
콰콰콰
콰콰

콰콰콰
헉.
헉.

으~~~
~~~!!!
까각...!!
쿠콰
야압~~
~~~!!!
!!!
하양!!
쿠구우...웅!!

하아… 하아….
카이도?!!
두웅!!
후두둑

퍼쉬익-!!
!!

피융~
아아~~ ~~~~.

…… …!!

밀짚모자?! 언제 당했지?!
털 써억!!
저 쇠공 같은 기술의 부작용이야!!
10분 정도 패기를 못 쓰게 돼!!
헉.
헉.

리스크가 딸린 파워인가.
마~~ 마마마마마!!!
뭐야, 벌써 한계인가?! 잘도 설쳤구나!!!
!!!
하지만 방금 그게 전부 통했다면……!!
하아… 하아… ……!!
'어미의'
'불꽃칼'!!!
으헉!!

카이도에게
추격타를 넣자,
킬러!!
펑버 엉!!!
내놓아라,
'밀짚모자'를
~~~!!!
그래!!
콰아앙!!
응?
'카운터
쇼크'!!!
꺄아아아악
~~!!!
두 웅!!
파앗!
크그그그그
으윽…
~~~

뭐지?!
팽그르르!!

와장창!!
!!!

오오
'용오름'!!!
웅!!
윽!!!

쿠오
!!!
으아아!!!
농담이지?!!
아! 조로…
고마워….
재해가
따로
없잖아!!
으앗.
아뿔싸!!
부웅
아아~~
~~~~!!
쩌억!!
루피!!
!
덥써억!!!
끄아아
아악!!
!!!
~~~~

잠깐, 잠깐.
우리
선장……!!
‘흑승
빅 드래곤
회오리치기’!!!
두우…웅
먹는 거
멈춰!!!
‘삼검류’
……!!
크크크…
응?!
크크
크크…
저 칼인가.
기이한 패기의
정체는!!

으어어 어어!!!
파바앗!!
비늘을 베었다!!!
쿼!!
카이도를 베다니!!!
저 애송이….
아아, 쓰리는군. 그런가….
그건 오뎅의 칼이렸다…?!
회오리로 내게 덤비다니.
워로로로 로로로!!

'용오름 괴풍'!!!!
쾅!!!
!!!
쐐액!!
쾅!!
쐐액!!
파
파
으앗.
콰지직!!

후둑
후둑
콰각… 웅
옥상의 전투가 격심한 나머지
와아아아아아아
잔해의 빗발이 그치질 않아!!
초대받은 연회가 설마
싸움터로 변할 줄이야.
이거야 원……….
거래 상대가 죽고…
와아아아아…!!
딱 따악! 딱

20년 만에 '와노쿠니'를 기리는 복수전인 모양이군.
콰과아앙!!
와아아아아아아…!!
—하지만 도플라밍고가 실추된 시점에서—
——그야말로 운명적으로……
사무라이와 해적들은 손을 잡은 것이고.
카이도와 '최악의 세대'와의
격돌은 불가피했어.
따악!
세계의 정세가 크게 바뀌려는 지금 이때….
만에 하나… '사황'이 둘이나 사라지는 일이 생기면…….
세계는 이제 예측 불가능해…!! ……허나 의미 없는 걱정이다.
띠리잉♪
세계 최강의 첩보부대
CP-AIGIS 0
사이퍼폴 '이지스' 제로
두웅!!

침입한 적은 5천과 4백.
하지만 4백은 탈락.
삐리링♪
이에 맞서는 우리는 3만을 넘는 병력….
하지만 이미 3천은 사라졌어.
척!
음—…. 사무라이들이 잘 싸웠군.
—제대로 붙으면 '대장'에게도 다다르지 못할 전력 차….
기습을 성공시킨 작전은 훌륭해!!
와아아아아아아아아!!
—하지만 이 싸움은
'대장'의 목을 쳐도 끝나지 않아……!!

—이건 섬 안에 도망칠 데가 없는
총력전!!!
두웅!!
카이도의 강력한 간부들을 내버려두면
100명 단위로 병사가 줄어들겠지.
27
(2만 7000)
5
(5000)

'신세대'가
간부들을
저지하지
못하면
이 바둑판은
검정 일색이
되고 끝장.
가능한 한 서로
치고받게나….
해적 제군….
와아아아아…!!
조금 빤히
보이는
승부이긴
하군….

!!
쿠구구…구…
후두둑…!!
뭐야,
저 모습….
카이도…?
'인수형'인가.
이봐, 링링
………!!
마~~~
~마마마
하하하하…!!
카이도,
즐거운데
………?!!
워로로로로!!
나도 지금
그렇게 느끼던
참이다!!!
쿠쿠웅!!

(토치기 현 · 부장(部長) 스케 씨)

D : 코즈키 오뎅의 그 상투는 어떤 식으로 땋은 건가요?
'와노쿠니 베개 맞춤형(Just Fit) 상투'인가요?
P.N. 타로 in the 다크

O : 와노쿠니 베개 맞춤형이라니 반대겠죠! (웃음)
일본 문화가 참 재밌는 게,
모두가 머리를 틀었던 시대의 베개를 아시나요?
모두 위쪽으로 머리를 정리하다 보니
이런 베개였답니다―.
우리 할머니가 쓰던 모습이
기억나네요. 아무튼, 오뎅은

⬅ 초기 구상이 이런 머리였었다죠.
위에서부터 '곤약' '계란' '간모도키'로,
'간모도키'가 남았다! 식입니다.
요컨대,
'먹다 남은 간모도키 두근두근 독특 상투'입니다.

D : 오다 쌤에게 질문…이라기보다, 제안입니다!! 얼마 전에 '성우 분의 SBS'라고,
밀짚모자 일당의 성우 분들에게 드릴 질문을 모집하셨죠!
이거, 밀짚모자 일당에 새로 들어온 징베 역을 맡으신
호키 카츠히사 씨 질문도 모집해야 한다고 생각합니다만,
어떠세요? P.N. 피테라

O : 아아, 좋죠. 그것도 꽤 오래된 얘기네요. (웃음)
52권에서 루피 성우 타나카 마유미 씨의 SBS를 시작으로,
64권까지 걸쳐서 밀짚모자 성우 군단 9명의 SBS를 했었습니다. 그런 까닭으로,
징베의 성우 **호키 카츠히사** 씨에게 드릴 질문을 모집합니다―!!
정말 징베처럼 댄디하고 멋있는 아저씨예요!
뭐든 물어보세요!!
그럼, 이번 SBS는 여기까지!! 다음은 100권이네요―!!

제 1004 화
'수수경단'

표지 리퀘스트 ''럼블 볼 캔디'를 나눠주고 있는 쵸파와
볼이 미어터지게 입속에서 달그락 굴리는 다람쥐와 원숭이' PN. 모리 히유

우물우물.
음~~~?
그냥 경단이
아니야?
우물우물.
와글
와글
진짜 효과
있는 거 맞아?!
스피드.
시끌
시끌
귀엽다니깐♡
스피드 님……♡
치유력을
높이는
효과가
있어!
우호!!
약발이 듣는 듯
하면서도 아닌 듯한…!!
아니, 듣는 거 같아!!!
우오오
오오…!!
좋겠다—
브리스콜라
님~~~~!!
퀸 님에게
받은
강장제다.
'기프터즈'
몫도 있어.
근력
증강의
효과도
있다구!!
받아도
됨까—?♡
히히—잉!
와아아아
SPEED
백수 해적단
신우치
스피드
말의 SMILE

……
……
말순이
언니!
나도
오니가시마에
가고
싶으야요.
하지만
그런 거 아무도
허락해주지
않는데.
히힝!
맡겨주세요,
주인님!!

수수경단!
수수경단!!
철 써 - 억!!
수수겨엉
~~~~
하아…
하아….
꼬집

단….
휘청…
주인님,
이제 그만
하세요!!
퐁
왕!
하아…
하아,
이거
하나에
아군이
한 사람
늘어나요….
나 본 적이
없시야요.
오로치나
카이도가 없는
'와노쿠니'를.
!!
~~~~

모모 군이 쇼군인 '와노쿠니',
나, 보고 싶으야요!!
배고픈 거 더는 싫어요! 밥 먹고 싶으야요!!!
알겠습니다!! 싸우자구요!!!
그래, 해보자고!!
우선은 숨어서
기회를 엿보죠.

!!
빠꿍!
자— 먹어라. 먹어, 먹어!! 기프터즈!!
?!
?!!
빠꿍
빠꿍
응? 맛있어!
비쿠라 마을 기프터즈
GAZELLEMAN
가젤맨
가젤의 SMILE

그렇기는
한데 덮고
넘어가자.
미안했다!!
두두두두!!
저 녀석은
'우동'의
부간수장!!
여태껏
잘도!!
해치워라!!
우오오오오오!!
우동 채굴장
부간수장(신우치)
다이후고
DAIFUGO

먹어!!
욱.
먹어!!
읍─.
먹어!!
엉?!
주인님의
가신이나 돼버려!!
까하하.
으와─!!

돔 내부
우뇌탑
와아아아아아
오오오오!!!

'제너럴 레프트'!!
두두두
퍼 퍼어엉!!
번쩍!
끄어어
어억!!!
콰앙!!
콰악!!
으득..!!

아아압!!
콰창차앙!!!
!!!
콰직 콰직
………
……!!
'제너럴'
~~~!!
팍!!
덜컹
콰, 콰콰콰
!!
억눌러──!!
까하하하!!
저업!!
으악!!
방해하지 마,
짜식들아!!!
~~~

우리는 흔해빠진 병사가 아니라고!!
'능력'을 부여받은 '기프터즈'다!!!
히히히!!
멈춰. 이거 놔!!
두두두두
무슨 놈의 힘이 이래, 이것들!!
프랑키!!!
!!
여—기!!
탁 탁 탁 탁
우솝!! 나미!! 오타마?!
마침 잘 됐다!! 야, 이놈들 좀 어떻게…….
구해 줘 ~~~~~~~~~~~!!!
으엑———?!!
와아아아
빠—방!!
적한테 무지막지 쫓기고 있잖아—!!!
빠방!!
위기가 대위기가 돼버렸어!!!

그걸 바꾸기 위해 내가 온 거야요!!!
와앙
쪽수에 장사 없다!! 이미 이 섬 전체의
전력 구도가 그렇거든!!!
기프터즈인가!! 그대로 길을 막아라!!
번뜩
주인니임~ ~~~~!!!
알았다!!
다들!! 프라노스케를 도와줘—!!!
우오오오오오오
응?
야!! 뭐가 어떻게…, 움직였다!!
끄아아악 —.
엑——?!! 이봐, 너희 대체 무슨 짓을.

위험해애!!!
!!!
콰앙!!
사사키!!
그 자식들
배신했어!!
뭉개버려!!!
이지원!!
울티!!
콰당
콰당!!
너희들,
웬 짓들이냐!!

배신했다고……?!
무슨 이득이
있기에………!!
와아아
아무래도
이 녀석들의
'능력' 같아!!
빠방
내 말이
맞사와요,
그렇죠?!!
!!
이번에야말로
머리
빠개지고
싶은
모양이네!!
두 번
다시는
사양이야!!
번개
주의보!!
팍
팍
팍…!!
팍
심장
마비에
!!
주의하시길.
'썬더
랜스' =
'템포'!!!
콰
아
앙
!!!

누나!!
콰
쾅!!
쓰러트리지 못했겠지…!!
헉
헉
더 강한 번개여야 해…!!
울티 님이…!!
제길, 아파앗~~~. 저 여자가 감히이~~~!!
너희!! 이쪽이다아!!
끼리리
'필살'!!
'수수경성(星)'!!
빠곰
빠곰
빠곰
다들!! 따라오시야요!!!
오오오!!
예이!! 주인님!!!
?!
뭐지?! 이봐!!!
우오
오오
쿠
웅!!

어떻게
된 거냐!!!
멈춰,
'장갑부대'!!!
빠
한눈팔지
마시지!!
상대는 나다!!
'프랑검'!!
!!
'승리의
V 플래시'!!!
으아악~
~~~!!!
~~~

성안 3층
대연회장
4
3
2
1
드디어
………
와아아아아아아아
채앵!
채쟁!
얌전해졌군.
'검은 다리
상디'♡

으윽…….

우후후….
죽어라
날뛰더라니,
귀여운
사람……♡
……
……
강한데
참 딱해……….

남자들은
죄다 묵사발이
났지만……….

여자는 일절
건드리지 못하는
당신에게 승산은……
'0(제로)'라구.
당신의
목숨은 이제
내 손바닥
안………♡
자, 어디
불러보실까?
니코 로빈을
………!!

이 아이에게 말을 하면
성 곳곳에 목소리가 닿거든.
그러면 자유롭게 해줄게♡
삑
……
……
카이도 씨의 명령이야.
………
……?
—로빈 양을… 어쩔 속셈이지….
글쎄, 몰려들어 붙잡은 후에는…
팔다리에 깊은 상처를 내고 자유를 빼앗아………
몇 년이 걸릴지 모를 '볼일'이 끝날 때까지는
죽이지 않아. 안심해♡
너, '니코 로빈'을
얕보지 마라….

라이브 플로어
콰과아앙
와아아아아아아아…
앗.
발견!!
발견!!
쿠구구

아카자야 사무라이들을 발견~~~언!! 옥상의 싸움에서 벗어난~~~~
모양!!! 피투성이~ ~~~!!!
숨이 아직 ~~~~!! 있는~~ 모양!!
장소는 ~~~ 천수각
두웅!
바깥 2단 성곽 '보물전'~~~ 2층!!
와
카이도 씨에게서 달아났나.
끄악!
지금 손이 놀 새가 없다!!
누구 없나?!

당장 '보물전'으로 가서
사무라이 전원의 숨통을 끊어라!!!
들으셨나요? 블랙 마리아 님.
빡
'킹', 내가 갈게♡
보물전의 2층이라면 이 층과 연결돼있어.
……
……
아카자야 패거리를 끝장내면 되는 거지♡?
그래, 부탁한다!!
킨에몬……?!!
당했나?!
이봐, 잠깐. 가지 마!!!

〈원피스〉 100권을 기대해 주세요!!

WT100 월드 탑 100

세계 누계 1200만표 이상!!

결과발표!!

통산 7번째이자 첫 세계 규모 개최! 전 세계 정점의 결정이다!!

세계 제일로 큰 잔치를 열자!!

다들 고마워~~!!!

1,637,921PT

압도적인 지지로 7연패!! 세계에서 사랑받는 미래의 해적왕! 아시아에서는 2위의 약 2배 표수로 크게 따돌리고 탑이었다구!

제2위 롤로노아 조로 (2)

그래… 나쁘지 않군. 고맙다!!

1,445,034PT

중동이나 아프리카에선 1위를 획득! 루피를 따라잡을 기세로 맹렬한 추격을 보여주었다!

제3위 나미 (8)

1,085,141PT

고마워!! 너도 내 시종이 될래?♡

충격! 중간 발표 7위부터 대약진! 유럽이나 중남미에서 1위의 대열광!!

제4위 상디 (3)

970,286PT

일본・아시아 팬의 절대적인 지지!

온 세계의 레이디에게 감사해!!

제5위 트라팔가 로 (4)

646,686PT

가져야 할 의자는 언젠가 반드시 뺏는다!!

러시아에서는 무려 제2위!

제6위 니코 로빈 (12)

599,835PT

후후… 감사의 말을 해야겠는걸♡

유럽이나 오세아니아에서는 TOP3 랭크 인!

※ 괄호 안의 숫자는 저번 회차 (제6회 캐릭터 인기 투표)의 순위입니다.

제 1 회 ONE PIECE 캐릭터 세계 인기투표

다음 페이지에서는 45위~100위를 소개!

제 1 회 ONE PIECE 캐릭터 세계 인기 투표 WT100 월드 탑 100 결과발표!! ②

전 세계에서 수많은 투표 고마워!

101위 이하의 결과는 (WT100 공식 사이트 [https://onepiecewt100.com]) 에 게재!

CHAMP COMICS

원피스 99

2023년 11월 23일 초판 인쇄
2023년 11월 30일 초판 발행

저자 : EIICHIRO ODA
역자 : 길명
발 행 인 : 황민호
콘텐츠1사업본부장 : 이봉석
책임편집 : 조동빈 /정은경
발행처 : 대원씨아이(주)

ISBN 979-11-6894-545-6 07830
ISBN 979-11-362-8747-2 (세트)

서울특별시 용산구 한강대로 15길 9-12
전화 : 2071-2000 FAX : 797-1023
1992년 5월 11일 등록 제1992-000026호

- 문의 : 영업 (02)2071-2074 / 편집 (02)2071-2027

www.dwci.co.kr